COLLECTION FOLIO

Julian Barnes

Outre-Manche

*Traduit de l'anglais
par Jean-Pierre Aoustin*

Denoël

Titre original :

CROSS CHANNEL

© *Julian Barnes, 1996.*
(Jonathan Cape Ltd, Londres, Grande-Bretagne.)
© *Éditions Denoël, 1998, pour la traduction française.*

Julian Barnes est né à Leicester en 1946. Le plus brillant et le plus célèbre des romanciers anglais contemporains, il est l'auteur de plusieurs romans traduits en plus de vingt langues dont *Le perroquet de Flaubert* (prix Médicis essai), *Une histoire du monde en 10 chapitres et 1/2*, *Avant moi* et *Love, etc...* (prix Femina étranger).

Pour Pat

Interférences

Maintenant il lui tardait de mourir, et il lui tardait de voir arriver ses disques. Il en avait fini avec tout le reste. Son œuvre était accomplie ; dans les années à venir elle serait soit oubliée, soit célébrée, selon que l'humanité deviendrait plus, ou moins, stupide. Il en avait fini aussi avec Adeline : elle n'avait plus guère à lui offrir que de la sottise ou de la sentimentalité. Il en était arrivé à la conclusion que les femmes étaient foncièrement conventionnelles : même celles qui faisaient preuve de liberté d'esprit finissaient par succomber au conformisme. D'où cette scène répugnante l'autre semaine. Comme si l'on pouvait vouloir être entravé à ce stade de l'existence, lorsqu'on n'avait plus devant soi qu'un ultime et solitaire essor...

Il regarda autour de lui. Le pavillon du gramophone se dressait dans un coin de la chambre, tel un énorme lis verni. Le poste de T.S.F. avait été placé sur la console de toilette, d'où l'on avait retiré la cuvette et le broc : il ne se levait plus

pour laver son corps décharné. Un fauteuil bas
en osier, dans lequel Adeline restait assise beaucoup trop longtemps, en s'imaginant que si elle
parlait avec assez d'enthousiasme des petites choses insignifiantes de la vie, il se découvrirait un
appétit tardif pour elles. Une table également en
osier, sur laquelle étaient posés ses lunettes, ses
médicaments, un Nietzsche, et le dernier Edgar
Wallace — un écrivain aussi prolifique qu'un
compositeur italien de second ordre. « Le Wallace du déjeuner est arrivé », avait coutume d'annoncer Adeline, répétant inlassablement la plaisanterie qu'il lui avait lui-même dite une fois.
Apparemment la douane à Calais laissait passer
sans aucune difficulté le « Wallace du déjeuner ».
Mais pas ses *Quatre saisons anglaises*. Ils voulaient avoir la preuve que ces disques n'étaient
pas importés dans un but commercial. Absurde !
Il aurait envoyé Adeline à Calais, s'il n'avait pas
eu besoin d'elle ici.

Sa fenêtre était orientée au nord. Maintenant
le village n'était plus pour lui qu'une source de
gêne. La bouchère avec son moteur. Les fermes
qui pompaient leur fourrage à toute heure de la
journée. Le boulanger avec *son* moteur. La maison des Américaines, avec sa nouvelle et infernale salle de bains. Il se transporta brièvement
par la pensée au-delà du village, de l'autre côté
de la Marne, jusqu'à Compiègne, Amiens, Calais,
Londres. Il y avait bien trente ans qu'il n'était
pas retourné là-bas — peut-être même presque

quarante —, et ses os ne le feraient pas pour lui. Il avait donné des instructions. Adeline obéirait.

Il se demanda à quoi ressemblait Boult. « Ton jeune champion », comme l'appelait toujours Adeline — oubliant l'évidente ironie avec laquelle il avait ainsi qualifié, à l'origine, le chef d'orchestre. Il ne faut rien attendre de ceux qui nous dénigrent, et moins encore de ceux qui nous approuvent. Telle avait toujours été sa devise. À Boult aussi il avait communiqué ses instructions. Restait à voir si le gars comprendrait les principes de base de l'impressionnisme cinétique. Ces foutus douaniers étaient peut-être en train d'écouter le résultat en ce moment même. Il avait écrit à Calais pour leur expliquer la situation. Il avait télégraphié à la maison de disques pour demander si un autre paquet ne pouvait pas être acheminé en contrebande. Il avait aussi télégraphié à Boult pour le prier d'user de son influence afin qu'il puisse entendre sa suite avant de mourir. Adeline n'avait pas aimé la façon dont il avait formulé ce message. Mais elle n'aimait plus grand-chose à présent.

Elle était devenue tracassière. Dans les premiers temps de leur vie commune, à Berlin, puis à Montparnasse, elle avait cru en son œuvre, et cru en ses principes de vie. Plus tard elle était devenue possessive, jalouse, critique. Comme si le fait d'avoir renoncé à sa propre carrière l'avait rendue plus compétente à l'égard de la sienne... Elle s'était constitué un petit répertoire de hochements de tête et de moues qui démentaient ses paroles. Quand il lui avait expliqué ce qu'il se proposait de faire avec ses *Quatre saisons anglaises,* elle avait répondu, comme elle le faisait maintenant trop souvent : « Je suis sûre que ce sera très bien, Leonard », mais il avait remarqué la raideur de son cou tandis qu'elle disait cela, et elle avait examiné son raccommodage avec une intensité superflue. Pourquoi ne pas dire ce que tu penses, bon Dieu ? Elle devenait cachottière et sournoise. Il la soupçonnait fort, par exemple, de s'être mise à fréquenter l'église depuis quelques années. *Punaise de sacristie*[1], lui avait-il lancé par provocation. Elle n'avait pas aimé ça. Elle avait encore moins apprécié quand il avait percé à jour un autre de ses petits manèges. « Je ne verrai aucun prêtre, lui avait-il dit. Ou plutôt, si j'en flaire seulement un, je l'attaque avec la pince à charbon ! » Elle n'avait pas aimé ça, oh non. « Nous sommes des vieillards maintenant tous les deux, Leonard, avait-elle marmonné.

— Exact. Et si je ne l'attaque pas avec la pince, considère-moi comme sénile. »

Il assena quelques coups sur le parquet et la bonne — quel que fût son nom — monta précipitamment. « *Numéro six** », dit-il. Elle savait

---

1. On fait suivre d'un astérisque les mots qui sont en français dans l'original, sauf quand cela est spécifié dans le texte. Les *M'sieur, Monsieur* et *Madame* en italique sont également en français dans le texte. *(N.d.T.)*

qu'elle ne devait pas répondre, mais elle opina du bonnet, remonta le ressort du gramophone, mit le premier mouvement de la Sonate pour alto, et observa le mouvement quasi stationnaire de l'aiguille jusqu'à ce qu'il fût temps de retourner le disque, d'une vive et experte rotation des poignets. Elle était habile, celle-ci : juste une brève halte à un passage à niveau, puis la musique reprenait. Il était satisfait. Tertis connaissait son affaire. Oui, pensa-t-il, tandis qu'elle levait à nouveau l'aiguille, on ne peut pas dire le contraire. « *Merci** », murmura-t-il en congédiant la fille.

Quand Adeline rentra, elle interrogea Marie-Thérèse du regard, comme elle faisait toujours. « *Numéro six** », répondit la bonne.

Le premier mouvement de la Sonate pour alto. Il avait dû être mécontent ; ou alors il avait craint soudain pour sa réputation d'artiste. Elle avait fini par comprendre ses requêtes à demi-mot, par deviner son humeur d'après la musique qu'il demandait à entendre. Trois mois plus tôt il avait écouté son dernier Grieg, deux mois plus tôt son dernier Chopin. Depuis, pas même ses bons amis Busoni et Sibelius ; seulement la musique de Leonard Verity. Le Deuxième quatuor pour piano, la Suite berlinoise, la Fantaisie pour hautbois (avec le vénéré Goossens), la Symphonie païenne, les Neufs chansons françaises, la Sonate pour alto. Elle connaissait les articulations de son œuvre comme elle avait connu autrefois les articulations de son corps. Et elle devait admettre qu'en général il savait reconnaître ce qui, dans sa production, était le plus réussi.

Mais ce n'était pas le cas pour les *Quatre saisons anglaises*. Elle avait pensé, dès le moment où il lui en avait parlé pour la première fois, puis en avait esquissé, de ses doigts amaigris, les grandes lignes mélodiques au piano, qu'un tel projet était une aberration. Quand il lui avait dit que cette œuvre serait en quatre mouvements, un pour chaque saison, en commençant par le printemps et en finissant par l'hiver, elle avait jugé cela banal. Quand il lui avait expliqué que ce ne serait pas, bien entendu, une simple illustration musicale des saisons, mais une évocation cinétique du souvenir de ces saisons, perçu à travers le prisme de la réalité connue d'autres saisons non anglaises, elle avait jugé cela théorique. Quand il avait ajouté avec un petit rire que chaque mouvement tiendrait exactement sur les deux faces d'un 78-tours, elle avait jugé cela calculateur. Très réticente à l'égard de l'ébauche initiale, elle n'avait pas été plus séduite par l'œuvre terminée et publiée ; elle doutait fort qu'elle changerait d'avis en l'entendant.

Ils avaient toujours été d'accord, dès le début, pour mettre la vérité au-dessus des conventions sociales. Mais quand deux vérités s'affrontent, et que l'une d'elles est considérée avec dédain comme étant la misérable opinion personnelle d'une Française ignorante et stupide, alors peut-être y a-t-il quelque chose à dire malgré tout en faveur des conventions sociales. Dieu sait qu'elle avait toujours admiré sa musique. Elle avait renoncé à sa carrière, à sa vie, pour lui ; mais au lieu de lui en savoir gré, il semblait maintenant lui en tenir rigueur. La vérité, pensait-elle — et c'était *sa* vérité —, c'est que certains compositeurs s'épanouissent une dernière fois sur le tard, et d'autres non. Peut-être se souviendrait-on du chant funèbre pour violoncelle, bien que l'éloge trop fréquent qu'elle en faisait rendît Leonard de plus en plus méfiant à cet égard ; mais pas des *Quatre saisons anglaises.* Laisse ce genre de chose à Elgar, lui avait-elle dit. Ce qu'elle avait voulu dire, c'était : il me semble que tu es en train de courtiser le pays que tu as délibérément quitté, de te complaire dans une forme de nostalgie que tu as toujours méprisée ; pis encore, il me semble que tu inventes une nostalgie que tu ne ressens pas vraiment pour pouvoir t'y complaire. Après avoir méprisé la renommée, tu parais maintenant la rechercher. Si seulement tu m'avais dit, triomphalement, que ton œuvre ne tiendrait *pas* exactement sur quelques 78-tours...

Il y avait d'autres vérités, ou misérables opinions personnelles, qu'elle ne pouvait lui communiquer. Elle n'allait pas bien elle-même, et le docteur avait parlé de chirurgie. Elle avait répondu qu'elle attendrait que la crise actuelle fût passée. Elle voulait dire par là qu'elle attendrait le moment, lorsque Leonard serait mort, où il ne lui importerait plus guère de subir ou non une intervention chirurgicale. Sa mort à lui avait la priorité sur la sienne. Elle ne lui en voulait pas pour ça.

Elle lui en voulait beaucoup, en revanche, de l'avoir traitée de *punaise de sacristie**. Elle n'était pas allée à la messe, et l'idée même de confession, après toutes ces années, lui paraissait grotesque. Mais chacun doit aborder l'éternité à sa manière, et quand elle restait un long moment assise, seule, dans une église vide, elle songeait à l'extinction elle-même, non au palliatif que constitue tel ou tel rituel. Leonard affectait de ne pas voir la différence. « Pente savonneuse », disait-il — avait-il dit. Pour elle, cela signifiait simplement qu'ils adoptaient des attitudes différentes face à l'inévitable. Naturellement, il n'aimait ou ne comprenait pas cela. Il devenait de plus en plus tyrannique à mesure que la fin approchait. Plus il s'affaiblissait, plus il cherchait à affirmer son autorité.

Le plafond résonna sous les coups de la pince à charbon qui jouait le début de la Cinquième de Beethoven. Il avait dû l'entendre, ou deviner qu'elle était rentrée. Elle monta pesamment, mais en toute hâte, à l'étage, heurtant au passage, avec son propre coude, le coude formé par la rampe. Il était assis dans son lit, pince en l'air. « Tu as amené ton curé ? » demanda-t-il. Mais pour une fois il souriait. Elle rajusta ses couvertures d'un air affairé, et il fit mine de protester ; mais comme elle se penchait près de lui, il posa sa main sur sa nuque, juste au-dessous de son chignon torsadé et grisonnant, et l'appela *ma Berlinoise**.

Elle n'avait pas prévu, quand ils étaient venus s'installer à Saint-Maure-de-Vercelles, qu'ils vivraient à ce point isolés du reste du village. Il lui avait expliqué, comme un maître d'école, une fois de plus : il était un artiste, ne le savait-elle donc pas ? Il n'était pas un exilé, puisque cela aurait impliqué l'existence d'une contrée où il aurait pu, ou voulu, revenir. Il n'était pas non plus un immigré, puisque cela aurait impliqué un désir d'être accepté, de se soumettre aux us et coutumes du pays d'adoption. Mais vous ne quittiez pas un pays, avec ses conventions sociales, ses règles et ses petites mesquineries, pour vous encombrer des conventions, règles et mesquineries analogues d'un autre pays. Non, il était un artiste. Il vivait donc seul avec son art, dans le silence et la liberté. Il n'avait pas quitté l'Angleterre, merci bien, pour assister à un *vin d'honneur** à la *mairie**, ou pour tapoter son genou à la *kermesse** locale en adressant un sourire d'approbation débile à quelque insupportable joueur de clairon.

Adeline avait appris qu'il lui faudrait avoir avec les villageois des rapports brefs et limités à l'essentiel. Elle s'était aussi arrangée pour traduire la *profession de foi** de Leonard en des termes moins rébarbatifs. *M'sieur* était un artiste célèbre, un compositeur dont les œuvres étaient jouées d'Helsinki à Barcelone ; il ne fallait pas

troubler sa concentration, de crainte que les mer-
veilleuses mélodies qui se formaient en lui ne
fussent interrompues et perdues à jamais. *M'sieur*
est comme ça, il a la tête dans les nuages, c'est
simplement qu'il ne vous voit pas, sinon vous
pensez bien qu'il vous saluerait, mais vous savez,
quelquefois il ne me voit même pas alors que je
suis juste sous son nez...

Une dizaine d'années après leur installation à
Saint-Maure, le boulanger, qui jouait en tant que
troisième cornettiste dans la fanfare des *sapeurs-
pompiers*,* lui avait timidement demandé si
M'sieur accepterait de leur faire exceptionnellement l'honneur de composer une danse, de préférence une polka, à l'occasion de leur vingt-
cinquième anniversaire. Adeline avait répondu
que c'était peu probable, mais avait accepté de
transmettre la demande à Leonard. Elle avait
choisi un moment où il ne travaillait pas sur une
composition et semblait particulièrement bien
disposé. Ensuite elle avait regretté de ne pas
avoir choisi une période d'humeur exécrable. Car
— oui, avait-il dit, avec un curieux sourire, il
serait ravi d'écrire une polka pour la fanfare ; lui,
dont les œuvres étaient jouées d'Helsinki à Barcelone, n'était pas si fier qu'il ne pût condescen-
dre à faire ce genre de chose. Deux jours plus
tard il lui avait remis une enveloppe en papier
kraft, cachetée. Le boulanger avait été enchanté
et l'avait priée de transmettre ses respectueux
remerciements à *M'sieur*. Une semaine plus tard,

lorsqu'elle était entrée dans la *boulangerie**, il avait évité de la regarder ou de lui parler. Finalement il lui avait demandé pourquoi *M'sieur* avait voulu se moquer d'eux. Il avait écrit une partition pour trois cents musiciens, alors qu'ils n'étaient que douze. Il avait appelé ça une polka, mais ça n'avait pas le rythme d'une polka, plutôt celui d'une marche funèbre. Ni Pierre-Marc ni Jean-Simon, qui avaient fait quelques études musicales, ne pouvaient discerner la moindre mélodie dans ce morceau. Le boulanger était attristé, mais aussi fâché et humilié. « Peut-être, avait suggéré Adeline, ai-je pris la mauvaise composition par erreur. » On lui avait rendu l'enveloppe en papier kraft, et demandé ce que signifiait le mot anglais *poxy* [1]. Elle avait répondu qu'elle ne savait pas trop. Elle avait sorti la partition de l'enveloppe ; elle était intitulée « Poxy Polka for Poxy *Pompiers** ». Elle avait dit qu'elle croyait que ce mot signifiait « brillant », « éclatant », « rutilant comme le cuivre de vos uniformes ». Eh bien, *Madame,* il était regrettable que cette œuvre ne parût ni brillante ni éclatante à ceux qui ne la joueraient certainement jamais.

D'autres années s'étaient écoulées, le boulanger avait passé le relais à son fils, et ç'avait été au tour de l'artiste anglais, le fantasque *M'sieur* qui ne saluait même pas le curé quand il le

1. « Merdique. » *(N.d.T.)*

rencontrait, de solliciter une faveur. À Saint-
Maure-de-Vercelles on arrivait tout juste à capter
les programmes nationaux de la B.B.C. L'artiste
anglais avait un puissant poste de T.S.F. qui lui
permettait de recevoir de la musique de Londres.
Cette réception, hélas, était d'une qualité fort
variable. Il y avait parfois des problèmes atmosphériques, des orages et du mauvais temps, contre
lesquels on ne pouvait rien. Les collines de l'autre
côté de la Marne n'arrangeaient pas les choses
non plus. Cependant, *M'sieur* avait découvert,
par déduction, un jour où toutes les maisons du
bourg avaient été désertées à l'occasion d'un
mariage, qu'il y avait aussi des formes locales
d'interférences, provoquées par toutes sortes de
moteurs électriques. La bouchère avait un engin
de ce genre, deux des fermiers voisins pompaient
leur fourrage de cette façon, et bien sûr le boulanger avec son pain... Accepteraient-ils, juste
pour un après-midi, et à titre d'expérience, bien
entendu... Sur quoi l'artiste anglais avait pu entendre les premières mesures de la Quatrième symphonie de Sibelius — ce sourd grondement dû
aux notes les plus graves des cordes et des bas-
sons, qui d'ordinaire était à peine audible — avec
une clarté soudain retrouvée. L'expérience s'était
donc renouvelée de temps à autre, avec la permission des intéressés. Adeline jouait les inter-
médiaires en de telles occasions, en s'excusant un
peu de sa démarche, mais en misant aussi sur le
snobisme latent que pouvait éveiller chez les

habitants de Saint-Maure-de-Vercelles l'idée que vivait parmi eux un grand artiste, un artiste dont la grandeur faisait la fierté du village, et dont la gloire brillerait avec plus d'éclat si les fermiers consentaient à pomper leur fourrage à la main, le *boulanger** *à* confectionner son pain sans électricité, et la bouchère à éteindre aussi son moteur. Un après-midi, Leonard avait découvert une nouvelle source de perturbation, dont la localisation avait nécessité certaines facultés de détection, et la neutralisation, une certaine habileté diplomatique. Les Américaines qui, à la belle saison, occupaient ce moulin aménagé, derrière le *lavoir**, avaient naturellement fait installer toutes sortes d'appareils modernes, que Leonard jugeait tout à fait superflus. L'un d'eux en particulier affectait la réception des ondes hertziennes sur le puissant poste de T.S.F. de *M'sieur.* L'artiste anglais n'avait même pas le téléphone, mais ces deux Américaines avaient eu l'idée ridiculement décadente, et l'impertinence, d'installer une chasse d'eau électrique dans leur salle de bains ! Il avait fallu, de la part d'Adeline, un certain tact — une qualité qui s'était progressivement renforcée en elle au fil des ans — pour les persuader, en certaines occasions, de retarder le moment de tirer la chasse.

Il n'était pas facile d'expliquer à Leonard qu'il ne pouvait exiger que le village cesse toute activité chaque fois qu'il voulait écouter un concert. Du reste il y avait des fois où les Américaines

oubliaient tout simplement, ou paraissaient
oublier, la requête de l'Anglais ; et si Adeline, en
entrant dans la *boulangerie**, voyait que c'était
le vieux père du boulanger, toujours troisième
cornettiste dans la fanfare des *sapeurs-pompiers**,
qui s'occupait du magasin, elle savait que ce
n'était même pas la peine de demander. Leonard
avait tendance à se mettre en colère quand elle
échouait, et sa pâleur habituelle se teintait brusquement de brun-pourpre. Ç'aurait été plus facile
s'il avait été disposé à offrir lui-même un mot de
remerciement, peut-être même un petit cadeau.
Mais non, il agissait comme si le silence de toute
la région était sa prérogative. Quand il avait
commencé à aller vraiment mal, et que le poste
avait été transporté dans sa chambre, il avait
voulu écouter de plus en plus de concerts, ce qui
avait mis à rude épreuve la sympathie du village.
Heureusement, depuis quelques mois il ne voulait
entendre que sa propre musique. Adeline était
encore chargée parfois d'aller arracher une promesse de silence aux villageois, mais elle feignait
seulement d'obéir, certaine qu'à l'heure où com-
mencerait le concert, Leonard aurait décidé de
ne pas écouter la T.S.F. ce soir-là. Il préférerait
qu'elle remonte le ressort du gramophone, tourne
le pavillon vers lui, et lui fasse entendre la Fantaisie pour hautbois, les Chansons françaises, ou
le mouvement lent de la Symphonie païenne.

C'avait été de bien beaux jours, à Berlin, Leipzig, Helsinki, Paris. L'Angleterre était fatale au

véritable artiste. Pour réussir là-bas il fallait être
un nouveau Mendelssohn : c'était ce qu'ils attendaient, comme un nouveau Messie. En Angleterre ils avaient du brouillard entre les oreilles.
Ils s'imaginaient qu'ils parlaient d'art, mais ils ne
parlaient jamais que de goût. Des notions telles
que la liberté et les besoins de l'artiste leur
étaient étrangères. Il n'était question que de
religion et de mariage à Londres. Sir Edward
Elgar, chevalier, ordre du Mérite, directeur de la
musique du roi, baronnet, mari. *Falstaff* n'était
pas mal du tout, il y avait de jolies choses dans
l'introduction et l'allegro, mais il avait perdu son
temps avec Jésus-Christ, avec ces maudits orato-
rios... Parry[1] ! S'il avait vécu assez longtemps, il
aurait mis toute la Bible en musique.

Ce n'était pas permis d'être un artiste en Angleterre. Vous pouviez être un peintre, un compositeur ou un plumitif quelconques, mais ces cer-
velles embrumées ne comprenaient pas qu'il y
avait une condition *sine qua non* à l'exercice de
toutes ces professions : *être un artiste.* En Europe
continentale ils ne riaient pas d'une telle idée. Il
avait connu de bons moments, de bien beaux
jours. Avec Busoni, avec Sibelius. Son voyage à
pied dans le Tyrol, au cours duquel il avait lu son
cher Nietzsche en allemand. Le christianisme
prêche la mort ; le péché est une invention des

---

1. Compositeur anglais de musique sacrée du XIXe siècle.
(N.d.T.)

Juifs ; la chasteté corrompt autant l'âme que la luxure ; l'homme est le plus cruel des animaux ; la pitié est une faiblesse...

En Angleterre, l'âme vivait pour ainsi dire à genoux, en se traînant vers un Dieu inexistant comme un quelconque garçon boucher. La religion avait empoisonné l'art. « Gerontius[1] » était écœurant. Palestrina, mathématique. Le plain-chant, de la lavasse. Il fallait quitter l'Angleterre pour trouver les plus hautes cimes, pour que l'âme puisse prendre son essor. Cette île confortable vous tirait vers le bas, vers la mollesse et la médiocrité, la religion et le mariage. La musique est une émanation, une exaltation de l'esprit : comment pourrait-elle se développer librement, quand l'esprit est lié et enchaîné ? Il avait expliqué tout cela à Adeline quand ils s'étaient rencontrés. Elle avait compris. Eût-elle été anglaise qu'elle se serait attendue à ce qu'il joue de l'orgue le dimanche et l'aide à mettre ses confitures en bocaux. Mais Adeline était elle-même une artiste à l'époque. Sa voix était d'une texture assez grossière, mais encore expressive. Et elle s'était rendu compte que s'il devait accomplir sa destinée, son art à elle devrait être subordonné au sien. Vous ne pouviez prendre votre essor si vous étiez entravé. Elle avait compris cela aussi à l'époque.

---

1. *The Dream of Gerontius,* oratorio d'Edward Elgar. *(N.d.T)*

Il était très important pour lui qu'elle admirât les *Quatre saisons anglaises*. Elle devenait de plus en plus conventionnelle, elle avait de plus en plus de brouillard entre les oreilles : telle est la sanction de l'âge. Elle avait enfin aperçu devant elle l'immensité du vide et ne savait pas comment réagir. Lui savait : ou bien vous vous attachiez solidement au mât, ou bien vous étiez emporté par une lame. Il s'en tenait donc, toujours plus rigoureusement et délibérément, aux stricts principes de vie qu'il avait passé tant de temps à énoncer. Si vous faiblissiez, vous étiez perdu — et la maison, en l'occurrence, ne tarderait pas à accueillir le prêtre, le téléphone, et les œuvres complètes de Palestrina.

Quand le télégramme de Boult arriva, il ordonna à Marie-Thérèse de ne pas en parler à *Madame*, sous peine de renvoi. Puis il traça une autre croix au crayon devant l'annonce du concert du mardi dans le *Radio Times*. « Nous allons écouter ceci, dit-il à Adeline. Alerte le village. » Il sentit sa perplexité lorsqu'elle regarda le journal, juste au-dessus de ses doigts. Une ouverture de Glinka, suivie par du Schumann et du Tchaïkovski : pas vraiment la musique préférée de Leonard Verity. Pas même du Grieg, encore moins du Busoni ou du Sibelius. « Nous allons voir ce que mon jeune champion fait de ces vieux trucs-là, ajouta-t-il en guise d'explication. Alerte le village, veux-tu ? » « Oui, Leonard », répondit-elle.

Il savait que c'était un de ses chefs-d'œuvre ;
il savait que si elle l'entendait vraiment, elle
reconnaîtrait ce fait. Mais il fallait que ça lui
tombe dessus à l'improviste. Cette évocation
enchanteresse, dans les premières mesures, de
souvenirs bucoliques, avec le son pianissimo d'un
*cor anglais** enveloppé dans le très léger mur-
mure d'altos en sourdine... Il imaginait la douce
transformation de son visage, ses yeux qui se
tourneraient vers lui comme ils l'avaient fait à
Berlin et à Montparnasse... Il l'aimait assez pour
estimer qu'il était de son devoir de la sauver de
ce qu'elle était devenue. Mais il devait y avoir
de la vérité entre eux aussi. C'est pourquoi il lui
dit brusquement, tandis qu'elle arrangeait ses
couvertures : « Ce n'est pas le *coup du chapeau**
qui me tirera d'affaire cette fois, tu sais. »
   Elle sortit en courant de la chambre, en larmes.
Il ne savait pas si celles-ci étaient provoquées par
l'allusion directe à sa propre mort, ou par l'allusion aux premières semaines qu'ils avaient passées ensemble. Peut-être les deux. À Berlin, où
ils s'étaient rencontrés, il n'avait pas pu aller à
leur second rendez-vous, mais au lieu de s'en
offusquer, comme d'autres femmes l'auraient sans
doute fait, Adeline était venue dans sa chambre
et l'avait trouvé prostré avec un rhume de cerveau. Il se souvenait du chapeau de paille qu'elle
portait, bien que la saison fût déjà avancée, de
ses grands yeux clairs, de l'accord que ses doigts
de pianiste avaient plaqué sur son front enfiévré,

et de la courbe de sa hanche quand elle s'était tournée.

« Nous allons te guérir avec le *coup du chapeau** », avait-elle annoncé. Il s'agissait apparemment de quelque pratique médicale, ou plus vraisemblablement, de quelque superstition répandue parmi les paysans de sa région. Elle avait refusé de l'éclairer sur ce point, mais elle était sortie et elle était revenue avec une bouteille enveloppée dans du papier. Elle lui avait dit de s'installer confortablement et de joindre les pieds. Ceux-ci avaient formé un petit monticule sur le lit. Alors elle avait pris son chapeau à lui et l'avait posé dessus. Puis elle avait versé une rasade de cognac dans un verre et lui avait dit de le boire. En ce temps-là il préférait la bière aux liqueurs fortes, mais il avait obéi en songeant, ébahi, à ce qu'une telle scène aurait eu d'improbable en Angleterre.

Après lui avoir fait boire deux verres bien remplis, elle lui avait demandé s'il pouvait encore voir son chapeau. Il avait répondu qu'évidemment il le pouvait. « Continue à regarder », avait-elle dit en lui versant un troisième verre. Elle lui avait défendu de parler, et il ne se rappelait plus de quoi elle avait causé. Il s'était contenté de boire et de regarder son chapeau. Finalement, alors qu'il en était à la moitié de son cinquième verre, il s'était mis à glousser et avait déclaré : « Je vois deux chapeaux. »

« Bon, avait-elle dit avec une soudaine vivacité. Alors c'est que le traitement opère. »

Elle avait plaqué un autre accord sur son front de ses doigts écartés et était partie, en emportant la bouteille. Il était tombé dans une sorte de coma et quand il s'était réveillé vingt heures plus tard, il s'était senti beaucoup mieux. La moindre raison n'en était pas que lorsqu'il avait ouvert les yeux et regardé en direction de ses pieds, aucun chapeau ne s'était offert à sa vue, seulement le profil de sa déjà bien-aimée Adeline, qui, assise dans un fauteuil bas, lisait un livre. C'est alors qu'il lui avait dit qu'il allait devenir un grand compositeur. Sa première œuvre, écrite pour quatuor à cordes, flûte, mezzo-soprano et sousaphone, serait intitulée *Le Coup du chapeau*. Elle dépeindrait, au moyen de la technique qu'il venait de découvrir, l'impressionnisme cinétique, les tourments d'un artiste souffrant, guéri de la grippe et du mal d'amour par une belle compagne et une bouteille de cognac. Accepterait-elle qu'il la lui dédie ? lui avait-il demandé. Seulement si elle admirait l'œuvre en question, avait-elle répondu en inclinant coquettement la tête.

« Si je l'écris, tu l'admireras. » Une telle déclaration n'était pas prétentieuse, ni autoritaire, mais plutôt le contraire. Nos destinées, voulait-il dire, sont maintenant liées, et je considérerai comme sans valeur toute composition écrite par moi qui n'aura pas l'heur de te plaire. Voilà ce qu'il avait voulu dire, et elle avait compris.

Maintenant, en bas dans la cuisine, où elle retirait le gras de quelques os de bœuf pour préparer le bouillon de Leonard, elle se remémorait ces premiers mois à Berlin. Comme il avait été enjoué et amusant, avec sa canne, ses clins d'œil rusés, et son répertoire de chansons de music-hall... Pas du tout l'Anglais stéréotypé, guindé et froid. Et comme il avait été différent de celui qu'il était aujourd'hui, ce patient auquel elle avait administré le *coup du chapeau**... Ç'avait été le début de leur amour ; et voilà qu'elle le soignait encore une fois, à son terme. À Berlin, après sa guérison, il lui avait promis qu'elle serait une grande chanteuse, et qu'il serait un grand compositeur ; il écrirait sa musique pour elle, pour sa voix, et ensemble ils conquerraient l'Europe.

Il n'en avait pas été ainsi. Elle avait douté de son propre talent plus qu'elle n'avait douté du sien. Alors ils avaient conclu un pacte d'artistes. Ils seraient unis, tels des esprits jumeaux, dans la vie et dans la musique, mais jamais dans le mariage. Ils évolueraient hors des contraintes qui gouvernent l'existence de la plupart des gens, préférant les contraintes plus nobles de l'art. Ils ne reposeraient que légèrement sur le sol, afin de pouvoir s'élever toujours plus haut. Ils ne s'empêtreraient pas dans les petites tracasseries quotidiennes. Ils n'auraient pas d'enfants.

Et c'est ainsi qu'ils avaient vécu : à Berlin, Leipzig, Helsinki, Paris, et maintenant dans ce vallon mollement creusé, au nord de Coulommiers. Cela faisait plus de vingt ans qu'ils repo-

saient légèrement sur le sol ici... La renommée
de Leonard avait grandi, et avec elle son désir
de réclusion. Il n'y avait aucun téléphone dans
la maison ; les journaux étaient interdits ; le poste
de T.S.F. n'était utilisé que pour écouter les
concerts. Les journalistes et leurs acolytes étaient
tous éconduits, la plupart des lettres restaient
sans réponse. Une fois par an, avant que Leonard
ne fût tombé gravement malade, ils allaient dans
le Midi, à Menton, Antibes, Toulon, des endroits
absurdes où il regrettait amèrement son vallon
humide et les rigueurs solitaires de son existence
habituelle. Lors de ces voyages, Adeline était
parfois en proie à un regret plus vif encore, celui
de la famille avec laquelle elle s'était brouillée
tant d'années auparavant. Dans un café, par exemple, son regard s'arrêtait sur le visage de quelque
jeune homme enthousiaste et elle se demandait
fugitivement si ce n'était pas un neveu inconnu.
Leonard ne voyait là-dedans que de la sentimentalité.

Pour Adeline, la vie artistique avait commencé
dans une joyeuse promiscuité ; elle s'achevait
dans la solitude et l'austérité. Quand elle avait
suggéré à Leonard, non sans nervosité, qu'ils se
marient secrètement, elle n'avait eu que deux
choses en tête. D'abord, qu'ainsi elle serait plus
à même de veiller sur sa musique et ses droits
d'auteur ; et ensuite, égoïstement, qu'ainsi elle
pourrait continuer à vivre dans la maison où ils
avaient vécu si longtemps ensemble.

Elle avait expliqué à Leonard que les lois françaises relatives au concubinage étaient inflexibles, mais il n'avait rien voulu entendre. Il s'était emporté, avait frappé le parquet avec la pince à charbon, si bien que Marie-Thérèse était montée en toute hâte. Comment pouvait-elle envisager de trahir les principes mêmes de leur vie commune ? Sa musique n'appartenait à personne et elle appartenait au monde entier. Ou elle serait jouée après sa mort, ou elle ne le serait pas, selon que le monde deviendrait plus intelligent ou plus stupide ; c'était tout ce qu'il avait à dire. Quant à elle... eh bien, il n'avait pas imaginé, quand ils avaient conclu leur pacte, qu'elle y cherchait un avantage pécuniaire, et si c'était cela qui la préoccupait, elle n'aurait qu'à prendre ce qu'elle pourrait trouver d'argent dans la maison quand il reposerait sur son lit de mort. Elle ferait aussi bien de retourner dans sa famille pour y dorloter ces neveux imaginaires au sujet desquels elle ne cessait de radoter. Là, décroche ce Gauguin du mur et vends-le si c'est ça qui t'intéresse. Mais arrête de pleurnicher.

« C'est l'heure, dit Leonard Verity.

— Oui.

— Nous allons voir de quoi est capable mon "jeune champion".

— Oh ! Leonard, écoutons plutôt encore la Fantaisie pour hautbois.

— Allume donc la radio. Ça va commencer. »

Tandis que le poste de T.S.F. chauffait lentement en bourdonnant, et que la pluie jouait un léger *pizzicato* sur les carreaux de la fenêtre, elle se dit que ce n'était pas bien grave qu'elle n'eût pas alerté le village. Elle ne pensait pas qu'il persisterait à vouloir écouter au-delà de l'ouverture de *Ruslan et Ludmilla,* qui de toute façon était suffisamment stridente pour couvrir la plupart des perturbations atmosphériques.

« Queen's Hall... Concert sur invitation... Directeur musical de la British Broadcasting Corporation... » Ils écoutèrent la litanie habituelle, de leurs places habituelles : lui dans son haut lit, elle dans le fauteuil bas en osier, près du poste, au cas où il y aurait quelque réglage à effectuer. « Changement dans le programme initialement annoncé... Glinka... Nouvelle œuvre du compositeur anglais Leonard Verity... en l'honneur de son soixante-dixième anniversaire dans quelques mois... *Quatre saisons...* »

Elle hurla. Il n'avait encore jamais entendu un tel son sortir de sa gorge. Elle descendit lourdement, aussi vite qu'elle put, au rez-de-chaussée, ne prêta aucune attention à Marie-Thérèse, et sortit en courant. L'après-midi était humide et sombre. Du village en contrebas jaillissait pêle-mêle une multitude de sons et de lumières ; des moteurs gigantesques tournaient et vrombissaient. Une *kermesse** avait commencé dans sa tête, avec des machines locomotrices et des projecteurs, la comique et triviale préciosité du manège et de sa musique, le cliquetis métallique du stand de tir, l'insouciant tumulte des cornets à pistons et des clairons, des rires, des cris de pseudo-effroi, des lampes clignotantes et des chansons stupides. Elle s'élança, le long du chemin, vers le premier de ces lieux orgiaques. Le vieux *boulanger** se retourna avec curiosité lorsque cette femme à l'air égaré, mouillée et négligemment vêtue, fit irruption dans le magasin de son fils, le regarda comme une folle, hurla, et ressortit en courant. Elle, qui pendant toutes ces années s'était montrée si efficace et pratique dans ses rapports avec le village, ne pouvait même plus se faire comprendre. Elle aurait voulu que le feu du ciel réduise au silence la région tout entière. Elle se précipita dans la boucherie, où *Madame* se servait de sa puissante turbine : une courroie palpitante, un cri lancinant, du sang partout. Elle courut jusqu'à la ferme la plus proche et vit qu'on y alimentait en fourrage vert cent mille têtes de bétail au moyen de cent pompes électriques. Elle se rua jusqu'à la maison des Américaines, mais les coups qu'elle frappa à la porte ne purent dominer les bruits grotesques produits par une douzaine de chasses d'eau électriques. Le village conspirait contre lui, de la même façon que le monde conspire toujours contre l'artiste, attendant qu'il soit affaibli et cherchant alors à le détruire. Le monde faisait cela avec insouciance, sans savoir pourquoi, sans comprendre pourquoi, en enfonçant simplement un bouton, clic, d'un doigt désinvolte... Et le monde ne voyait même

pas, n'écoutait pas, de même que maintenant ils
ne semblaient pas entendre les mots qu'elle prononçait, ces gens rassemblés autour d'elle qui la
dévisageaient. Il avait raison, bien sûr qu'il avait
raison, il avait toujours eu raison. Et elle l'avait
trahi à la fin, sur ce point-là aussi il avait raison.

Dans la cuisine, Marie-Thérèse et le curé faisaient figure de gauches conspirateurs. Adeline
monta dans la chambre et referma la porte derrière elle. Il était mort, bien sûr, elle le savait.
Ses yeux étaient clos, qu'ils se fussent fermés
naturellement ou qu'une main étrangère s'en fût
chargée. L'aspect de ses cheveux suggérait qu'on
venait de les peigner, et sa bouche aux coins
abaissés esquissait une dernière moue. Elle retira
doucement la pince à charbon qu'il tenait encore
à la main, toucha son front comme pour y pla-
quer un dernier accord, puis elle s'allongea à côté
de lui sur le lit. Le corps de Leonard ne s'aban-
donnait pas plus dans la mort qu'il ne l'avait fait
dans la vie. Enfin elle se calma, et tandis qu'elle
reprenait ses esprits, elle perçut confusément les
notes du concerto pour piano de Schumann à
travers le grésillement des parasites.

Elle fit venir un *mouleur** de Paris, qui exécuta
un moulage du visage de l'artiste, et un autre de
sa main droite. La British Broadcasting Corporation annonça la mort de Leonard Verity, mais
puisqu'elle avait diffusé si récemment, pour la
première fois, sa dernière œuvre, un hommage
musical supplémentaire fut jugé superflu.

Trois semaines après l'enterrement, un paquet carré marqué « Fragile » arriva à la maison. Adeline était seule. Elle enleva à petits coups d'ongle la cire à cacheter qui recouvrait les deux gros nœuds, retira plusieurs couches de carton ondulé, et trouva une lettre obséquieuse du directeur de la maison de disques. Elle sortit chacune des « Quatre saisons anglaises » de sa raide enveloppe en papier kraft, et posa les disques sur son genou. Lentement, méthodiquement, comme Leonard l'aurait approuvée de le faire, elle les classa dans leur ordre naturel. Printemps, Été, Automne, Hiver. Les yeux fixés sur le coin de la table de la cuisine, elle entendait d'autres mélodies.

Ils se brisèrent comme des biscuits. Son pouce saigna.

Jonction

Le dimanche apparemment ils se faisaient raser et lavaient leurs chiens. Les trois Français qui étaient venus de Rouen furent d'abord déçus. Mme Julie avait entendu des histoires de bohémiens, de *banditi,* de Juifs errants et de sauterelles dévorant tout sur leur passage. Elle avait demandé à son mari s'il ne serait pas plus prudent d'emporter une arme ou deux ; mais le Dr Achille avait préféré compter, à la fois pour les guider et les défendre en cas de besoin, sur un de ses étudiants en médecine, Charles-André, un jeune homme robuste et timide originaire de cette grande plaine calcaire qui s'étend au-delà de Barentin. Le misérable campement, cependant, s'avéra tout à fait tranquille. Et ce calme n'était pas dû, comme ils en eurent d'abord le soupçon, à la torpeur consécutive à un abus d'alcool, car les hommes ne seraient pas payés avant la fin du mois, et se lanceraient seulement alors, excités et bagarreurs, dans une bringue à tout casser, dépensant leur salaire dans des

*cabarets** et d'immondes tavernes, ingurgitant de
l'eau-de-vie française comme ils lamperaient de
la bière anglaise, se soûlant et entretenant consciencieusement cet état d'ébriété, si bien que
lorsqu'on les aurait tous récupérés et rassemblés,
les chevaux du chantier se seraient reposés pendant trois bons jours. Mais ce jour-là les Français
constatèrent que régnait partout la tranquillité
du repos dominical. Un chef d'équipe en gilet
de peluche écarlate et culotte de velours se
faisait raser par un barbier itinérant français,
déplaçant courtoisement sa courte pipe d'un coin
de sa bouche à l'autre pour lui faciliter la tâche.
Non loin de là un terrassier savonnait son chien
de chasse, qui geignait d'indignation et fit mine
de mordre son maître, ce qui lui valut une sèche
taloche. Sur le seuil d'une masure basse faite de
mottes de terre, une vieille sorcière se tenait
devant une grande marmite pleine d'un liquide
gris dans les remous duquel disparaissaient mys-
térieusement une douzaine de grosses ficelles.
Une grande étiquette brune était fixée à l'extrémité visible de chaque ficelle. Charles-André
avait entendu un de ses camarades affirmer
qu'un terrassier anglais pouvait manger jusqu'à
cinq kilos de bœuf par jour. Mais ils ne purent
vérifier cette assertion, car la sorcière les dis-
suada de s'approcher plus près en cognant sa
louche contre la marmite comme pour chasser
des démons.

Yorkey Tom était fier d'être un des hommes de Mr. Brassey. Certains d'entre eux étaient avec lui depuis le début, comme Bristol Joe et Malabar Punch et Hérisson et Bill le Zèbre et Nobby la Perche. Avec lui depuis la Chester-Crewe, la Londres-Southampton et même la Grande Jonction. Quand un terrassier tombait malade, Mr. Brassey subvenait à ses besoins jusqu'à ce qu'il fût en mesure de reprendre le travail ; si l'un d'eux mourait, il venait en aide à ses proches. Yorkey Tom en avait déjà vu mourir plus d'un. Des hommes écrasés sous des éboulis de rocs, des artificiers que l'usage imprudent de la poudre envoyait *ad patres,* des jeunes garçons coupés en deux sous les roues des wagonnets. Quand Slen Trois-doigts avait perdu ses sept autres doigts, et ses deux avant-bras par la même occasion, Mr. Brassey lui avait donné quarante livres, et lui en aurait donné soixante si Trois-doigts n'avait pas été ivre au moment de l'accident et n'avait poussé le levier du frein avec sa propre épaule. Mr. Brassey était un homme affable et débonnaire, mais ferme dans ses décisions. Il payait bien le travail bien fait ; il savait que les hommes mal payés avaient tendance à travailler plus lentement et plus mal ; il savait aussi reconnaître la faiblesse là où elle se trouvait, aussi interdisait-il

les *tommy-shops* [1] et ne laissait-il pas les vendeurs
de bière ambulants exercer leur commerce parmi
ses hommes.

Mr. Brassey les avait aidés à survivre lors de
cet hiver abominable, trois ans plus tôt. Des
terrassiers affamés se pressaient en foule sur les
boulevards de Rouen. Le travail sur la ligne
Paris-Rouen était arrêté, et on n'avait rien à leur
proposer en Angleterre. La charité et les soupes
populaires les avaient maintenus en vie. Il faisait
si froid que le gibier restait au fond des terriers,
et c'est tout juste si le chien de chasse de Bill le
Zèbre avait réussi à lever un lièvre de tout l'hiver.
C'était cette année-là que le jeune Mr. Brassey,
le fils de l'entrepreneur, était venu assister aux
travaux, et n'avait vu que des terrassiers faméli-
ques réduits à l'oisiveté. Il avait souvent entendu
son père affirmer avec force que la philanthropie
ne saurait remplacer un ouvrage abondant.

Et ils en avaient eu de l'ouvrage, dans l'ensemble, depuis le printemps de 1841, époque à laquelle
ils s'étaient attaqués aux 82 miles qui séparaient
Paris de Rouen. On s'était vite aperçu que les
cinq mille ouvriers britanniques que Mr. Brassey
et Mr. Mackenzie avaient fait venir ne suffiraient
pas ; les entrepreneurs avaient dû recruter une
seconde armée de cinq mille travailleurs, des
continentaux cette fois : des Français, des Belges,

---

1. Boutiques gérées par l'employeur, où les ouvriers étaient
contraints d'acheter leurs marchandises. *(N.d.T.)*

des Piémontais, des Polonais, des Hollandais, des
Espagnols. Yorkey Tom avait participé à leur
formation. Il leur avait appris à manger du bœuf.
Appris aussi ce qu'on attendait d'eux. C'était
encore Ratty le Miteux qui utilisait la meilleure
méthode : il les faisait s'aligner, montrait du doigt
le travail à faire, tapait du pied et criait *D.. n !* [1]

Maintenant il était examiné par Mossiou Frog[2]
et sa *Madame* et un garçon qui les suivait, l'œil
curieux. Eh bien, qu'ils le regardent. Qu'ils voient
avec quelle prudence Mossiou le barbier maniait
son rasoir : chacun savait ce qui était arrivé quand
Punch Queue-de-cheval avait saigné à la suite
d'une maladresse professionnelle. Maintenant ils
échangeaient des commentaires sur son gilet et
sa culotte, comme s'il était quelque animal étrange
dans un zoo. Peut-être devrait-il grogner et montrer les dents, taper du pied et crier *D.. n !*

Le curé de Pavilly était enthousiaste dans sa
foi, protecteur vis-à-vis de ses ouailles, et secrètement déçu par l'indulgence excessive de son
évêque à l'égard des choses de ce monde. Le curé
avait dix ans de moins que le siècle, et avait été
séminariste au moment des événements héréti-

---

1. *Damn !*, juron britannique.
2. « Grenouille » — c'est-à-dire, bien entendu : Français.
(*N.d.T.*)

ques et blasphématoires de Ménilmontant. Le procès de 1832 et le démantèlement de la secte l'avaient empli d'un joyeux soulagement. Bien que ses paroissiens actuels ignorassent presque tout des complexités du saint-simonisme — même la prétentieuse Mlle Delisle, qui avait reçu une fois une lettre de Mme Sand —, le prêtre jugeait utile de faire allusion dans ses sermons au *Nouveau Christianisme* et au comportement diabolique des adeptes d'Enfantin. Ils lui fournissaient des exemples salutaires de l'ubiquité du mal. Il n'était pas de ceux qui, dans leur observation du monde, confondent l'ignorance et la pureté spirituelle. Il savait que les tentations sont envoyées sur la Terre pour renforcer la vraie foi. Mais il savait aussi que certains, lorsqu'ils sont confrontés à la tentation, mettent leur âme en péril et chutent ; et dans sa solitude intime il se tourmentait pour ces pécheurs présents et futurs.

Constatant que la ligne Rouen-Le Havre commençait à dessiner sa courbe vers le nord-ouest, du Houlme vers Barentin, que les campements se rapprochaient, que des têtes de bétail commençaient à disparaître, que l'armée du Diable avançait inexorablement vers eux, le curé de Pavilly devint fort inquiet.

Le Fanal de Rouen, qui aimait placer les événements contemporains dans une perspective historique, observa finement que ce n'était pas la première fois que les *Rosbifs** contribuaient au développement des voies de communication du pays : la première route entre Lyon et Clermont-Ferrand avait été construite par des captifs d'outre-Manche, sous le règne de l'empereur Claudius, en 45-46 ap. J.-C. Le journal poursuivait avec une comparaison entre l'an 1418, au cours duquel la ville avait héroïquement résisté, des mois durant, aux attaques du roi anglais Henry V et de ses redoutables Goddons, et cette année 1842 où elle s'était livrée sans combattre à la puissante armée de Mister Thomas Brassey, dont les guerriers portaient des pelles et des pioches sur leurs épaules au lieu des arcs légendaires de leurs ancêtres. Enfin *Le Fanal* rapportait, sans se prononcer lui-même sur la question, que certaines autorités comparaient volontiers la construction des chemins de fer européens avec celle des grandes cathédrales médiévales. Les ingénieurs et entrepreneurs anglais, selon ces auteurs, évoquaient ces bandes errantes d'artisans italiens sous la direction desquels les ouvriers français avaient érigé leurs propres monuments à la gloire de Dieu.

« Cet homme, dit Charles-André quand ils se furent suffisamment éloignés du chef d'équipe anglais, est capable de pelleter vingt tonnes de terre en un seul jour. En la soulevant plus haut que sa propre tête pour la verser dans des wagonnets. Vingt tonnes !

— Un monstre, assurément, répondit Mme Julie. Avec le régime alimentaire d'un monstre. »

Elle hocha sa jolie tête, et l'étudiant regarda trembloter ses frisettes — on eût dit les pendeloques de cristal d'un lustre agité par la brise. Le Dr Achille, un homme de haute taille, au long nez, qui arborait la barbe vigoureuse et lustrée des débuts de l'âge mûr, corrigea avec indulgence les idées fantasques de sa femme : « Alors admire la somptueuse résidence du Minotaure et de ses compagnons. » Il désigna une série d'infectes cavités troglodytiques creusées à même le flanc de la colline. Les bicoques de terre moussue, les longues huttes communes et les grossières cabanes en bois devant lesquelles ils passaient ne valaient guère mieux. Des voix querelleuses, dont celle d'une femme, sortaient d'une de ces habitations.

« Il paraît que leur cérémonie de mariage est très pittoresque, remarqua Charles-André. On fait sauter l'heureux couple par-dessus un balai. C'est tout. Après ça ils sont déclarés mariés.

— Voilà qui est aisément fait, dit Mme Julie.

— Et aussi aisément défait », continua l'étudiant. Il voulait paraître avoir une certaine expérience du monde, et désirait plaire à la femme du docteur, tout en craignant de la choquer. « On m'a dit... il paraît qu'ils vendent leurs femmes

quand ils en ont fini avec elles. Ils les vendent...
souvent... semble-t-il... pour un gallon de bière.

— Un gallon de bière *anglaise ?* demanda le
docteur, rassurant l'étudiant par la désinvolture
de ses manières. Alors là non, c'est vraiment un
prix trop bas. » Sa femme lui donna pour rire
une tape sur le bras. « Je ne vous vendrais certainement pas, ma chère, pour moins d'un tonneau du meilleur bordeaux », reprit-il, et il reçut
une autre petite tape, pour son plus grand plaisir.
Charles-André était envieux d'une telle intimité.

En construisant les 82 miles de la ligne Paris-
Rouen, Mr, Joseph Locke, l'ingénieur en chef,
avait pu se contenter de suivre le cours noncha-
lant de la Seine entre ces deux grandes villes,
Mais en prolongeant cette ligne jusqu'au Havre
— où elle se raccorderait aux services de vapeurs
transmanche, et par conséquent à la ligne Londres-Southampton, complétant ainsi la voie de
communication Paris-Londres —, il fut confronté
à des problèmes techniques autrement plus ardus.
Ces difficultés se reflétaient dans le prix de sou-
mission : 15 700 livres par mile pour la ligne Paris-
Rouen, plus de 23 000 livres par mile pour les
58 miles supplémentaires de la ligne Rouen-Le
Havre. En outre, le gouvernement français tint à
ce que fût réexaminée la question de la déclivité
maximale de la ligne. Mr. Locke avait initiale-

ment proposé un maximum de 0,9 %. Certains
des responsables français arguaient de raisons de
sécurité pour proposer 0,5 %, ce qui aurait soit
imposé un itinéraire beaucoup plus long, soit
nécessité bien des travaux de terrassement supplémentaires et donc augmenté considérablement
le coût de l'opération. Finalement on se mit
d'accord pour adopter, en guise de compromis,
une déclivité de 0,8 %.

Mr. Brassey vint s'installer une fois de plus à
Rouen. Il était accompagné cette fois de sa femme
Maria, qui parlait couramment le français et put
lui servir d'interprète auprès des officiels du minis-
tère français. Ils allèrent présenter leurs respects
au consul et se firent connaître des fidèles de
l'église anglicane de l'île Lacroix. Ils s'enquirent
de l'existence d'une bibliothèque ambulante de
livres anglais, mais aucune n'avait encore été
créée. Mrs. Brassey visita à ses moments perdus
les grands édifices gothiques de la ville : Saint-
Ouen, avec son haut triforium et son étincelante
rosace ; Saint-Maclou, avec ses portes sculptées
et son grotesque Jugement dernier ; et la cathédrale Notre-Dame, où un bedeau en grande tenue,
coiffé d'un chapeau empanaché et armé d'une
rapière et d'un bâton, lui imposa sa présence. Il
attira son attention sur la circonférence de la
cloche d'Amboise, le tombeau de Pierre de Brézé,
l'effigie de Diane de Poitiers et une statue mutilée
qui provenait de la tombe de Richard Cœur de
Lion. Il lui montra la fenêtre de la Gargouille,

et lui raconta la légende de la tour du Beurre, érigée au XVIIe siècle grâce à l'argent des indulgences qui permettaient aux gens de manger du beurre pendant le Carême.

Les hommes de Mr. Brassey prirent la ligne là où elle s'était arrêtée aux portes de Rouen, lui firent traverser la Seine sur un nouveau pont, puis l'infléchirent vers le nord, à travers les collines et les vallons de la cité. Ils creusèrent le tunnel Sainte-Catherine, long de 1600 mètres ; construisirent le viaduc de Darnétal ; percèrent à coups d'explosif les tunnels de Beauvoisine, de Saint-Maure et du mont Riboudet. Ils franchirent la rivière Cailly juste au sud de Malaunay. Plus loin coulait la rivière Austreberthe, qu'un élégant viaduc devait enjamber à Barentin. Mrs. Brassey raconta à son mari l'histoire de la tour du Beurre, et se demanda quels édifices pourraient être érigés à leur époque grâce à la vente d'indulgences.

« Tracez dans le désert un chemin pour le Seigneur, nivelez dans la steppe une chaussée pour notre Dieu. Que chaque vallée soit relevée, que chaque montagne et chaque colline soit abaissée ; que ce qui est creux soit comblé, et ce qui est accidenté aplani. » Les villageois rassemblés dans l'église de Pavilly s'attendirent naturellement à ce que ces paroles fussent suivies d'un appel aux hommes de bonne volonté pour qu'ils améliorent l'état du chemin cahoteux qui allait de l'église au cimetière. Mais il ne parut y avoir aucun rapport immédiat entre la citation préliminaire du curé, tirée du livre d'Isaïe, et ses commentaires subséquents. Il entreprit en effet de mettre en garde ses ouailles — et ce n'était pas la première fois — contre les dangers d'une doctrine dont bien peu de ces gens avaient entendu parler, et qui en aurait tenté moins encore. Le propriétaire de la ferme *Les Pucelles* s'agitait sur son siège, agacé par le discours trop savant du prêtre. Sur le banc du fond Adèle, que sa maîtresse avait fait travailler plus dur que de coutume cette semaine-là, bâillait ostensiblement.

Le curé expliqua que les hérésies les plus dangereuses pour la doctrine chrétienne étaient celles-là mêmes qui se présentaient sous la forme d'une agréable et séduisante version de la vraie foi : telle était la tactique du Malin. Le comte de Saint-Simon, par exemple, avait affirmé, entre autres choses, que la société devait s'efforcer d'améliorer la condition physique et morale des plus démunis. Une telle idée n'était pas étrangère à ceux qui connaissaient l'enseignement de Notre Seigneur Jésus-Christ dans son Sermon sur la Montagne. Et pourtant quelle était, à y regarder de plus près, l'intention véritable des hérétiques ? Que le gouvernement de la société, de la société chrétienne, soit remis entre les mains des hommes de science et des capitaines d'industrie ! Que le Saint-Père de Rome se voie retirer la direction spirituelle de l'humanité au profit des fabricants de machines !

Et comment, d'ailleurs, s'étaient comportés les adeptes de ce faux prophète quand ils s'étaient regroupés en une communauté impie pour vivre selon les principes iniques de leur défunt chef ? Ils avaient publiquement opté pour la communauté des biens, l'abolition du droit d'héritage, et l'émancipation des femmes. Ce qui revenait à dire que des personnes non mariées de sexe opposé vivaient ensemble comme les frustes polygames de l'Orient ; alors même qu'ils proclamaient l'égalité de l'homme et de la femme, ils pratiquaient impudemment la prostitution. Le curé de Pavilly épargna à son auditoire la théorie de la réhabilitation de la chair, dont il savait bien, sans l'avoir examinée, qu'elle était blasphématoire, et les mit plutôt en garde contre les périls inhérents au choix d'une tenue vestimentaire par trop singulière et excentrique. Ceux qui se rebellaient contre l'autorité de la parole de Dieu choisissaient souvent de se distinguer des autres en adoptant un uniforme. Ainsi, dans la société communisante de Ménilmontant, ils avaient porté le pantalon blanc qui symbolisait l'amour, le gilet rouge qui symbolisait le travail, et la tunique bleue qui symbolisait la foi. Ce dernier vêtement était conçu de telle sorte qu'il se boutonnait par-derrière, une particularité qui selon les polygames prouvait leur fraternité, puisque aucun d'eux ne pouvait mettre sa tunique sans l'aide

d'un autre. Le curé laissa alors passer quelques
secondes de pieux silence, pendant lesquelles
certains fidèles devinèrent ce qu'il se sentait incapable d'exprimer, à savoir, qu'un polygame ne
pouvait pas non plus se déshabiller sans l'aide
d'un autre.

Adèle, sur le banc du fond, était maintenant
très attentive et contemplait les boutons alignés
sur le devant de la soutane du prêtre comme si
elle avait contemplé la Vertu elle-même — tout
en se remémorant un certain gilet de peluche
écarlate sur lequel son regard s'était posé seulement quelques jours plus tôt. Le curé annonça
son intention de revenir sur le même thème le
dimanche suivant, et leva le bras pour bénir
l'assistance.

Les trois Français marchèrent jusqu'à la tranchée. Compte tenu de la triste réputation d'im-
piété des terrassiers anglais, ils s'attendaient fort
à voir au moins quelques hommes travailler
comme des mécréants le jour du Seigneur ; mais
tout restait calme. La terre entaillée exhibait
paisiblement ses larges bandes de craie blanche,
de gravier jaune et d'argile orangée. Le
Dr Achille admirait la netteté de l'incision que
ces hommes rudes avaient pratiquée dans l'épi-
derme de la planète.

Sur les côtés du ravin crayeux, les « pistes à

brouette » étaient désertées. Charles-André, qui s'intéressait en dilettante à ces travaux, essaya d'expliquer comment ils s'y prenaient : les planches disposées le long de la pente raide, le poteau au sommet du talus, la poulie à l'extrémité du poteau, le cheval attaché à la corde pour aider le terrassier à pousser sa brouette pleine jusqu'en haut. Charles-André avait vu hisser des chargements énormes grâce à cette méthode ; il avait aussi vu de la boue ruisseler le long des planches mouillées, un cheval affolé s'efforcer en vain de garder l'équilibre, et un terrassier se jeter vivement sur le côté pour éviter d'être écrasé par sa propre brouette. Seuls les hommes les plus forts, les géants de l'entreprise, avaient le courage et l'audace d'accomplir un tel labeur.

« Cinq kilos de bœuf, rappela le Dr Achille.

— Tout de même, dit Mme Julie en songeant aux dangers considérables d'une telle besogne, on croirait, n'est-ce pas, qu'avec de l'ingéniosité on pourrait inventer une machine capable de faire ce travail ?

— On en a inventé une, paraît-il. Une plate-forme mobile. Les terrassiers y ont vu une menace pour leur salaire, et l'ont détruite.

— Je suis heureux qu'ils ne soient pas des saints », dit le Dr Achille.

Comme ils revenaient à pas lents vers le campement, ils entendirent un langage qui n'était pas le leur, et qui pourtant n'était pas non plus une langue étrangère. Deux hommes réparaient une pelle, dont le fer ne tenait plus sur son manche. Le plus corpulent, celui qui donnait les instructions, était un chef d'équipe anglais, et le plus petit, le propriétaire de la pelle, un paysan français. Leur patois, ou *lingua franca*, était constitué pour partie d'anglais, pour partie de français, et pour le reste d'une *olla podrida* [1] d'autres langues. Les promeneurs s'aperçurent que même les mots qu'ils connaissaient bien étaient très fortement déformés, tandis que la grammaire était tout aussi violemment malmenée. Pourtant les deux rafistoleurs de pelle, à l'aise dans ce jargon, se comprenaient parfaitement.

« C'est ainsi que nous parlerons à l'avenir, affirma l'étudiant avec une soudaine assurance. Plus de malentendus. Les nations régleront leurs différends comme ces deux bonshommes réparent leur pelle.

— Plus de poésie, soupira Mme Julie.

— Plus de guerres, répliqua Charles-André.

— Balivernes ! fit le Dr Achille. Simplement une poésie différente, des guerres différentes. »

Le curé de Pavilly revint comme promis sur le chapitre XL du livre d'Isaïe. Les yeux d'Adèle se fixèrent de nouveau sur les vertueux boutons

1. Pot-pourri. *(N.d.T.)*

de la soutane du prêtre, mais celui-ci n'avait rien
de plus à dire sur l'importance du choix vestimentaire. Il entreprit d'expliquer à ses ouailles
que le procès et la condamnation des polygames
de Ménilmontant pour actes préjudiciables à l'ordre public avaient tranché une tête de l'hydre,
mais que d'autres avaient poussé à la place. Ce
que cette doctrine hérétique n'avait pu accomplir
devait être réalisé à l'avenir par le progrès technique. Il était de notoriété publique que de nombreux membres de la secte démantelée s'acti-
vaient à présent en tant qu'hommes de science
et ingénieurs, qui se répandaient comme un chan-
cre dans le corps sain de la France. Certains
d'entre eux proposaient depuis des années qu'on
perce l'isthme de Suez pour y construire un canal.
Et puis il y avait le Juif Pereire, qui proclamait
ouvertement que le chemin de fer était un instrument de civilisation. On avait osé faire des
comparaisons sacrilèges avec ces pieux artisans
qui avaient bâti les grandes cathédrales. Le curé
protesta : la véritable analogie, c'était plutôt du
côté des bâtisseurs de pyramides païens de l'ancienne Égypte qu'il fallait la chercher. Les ingénieurs anglais et leurs terrassiers impies venaient
seulement ériger les extravagantes constructions
de l'ère moderne, et démontrer une fois de plus
la vanité de l'homme dans son culte des faux
dieux...

Il ne voulait pas dire que de tels travaux étaient
en eux-mêmes contraires à l'esprit de la doctrine

chrétienne. Mais si les vallées devaient être rele-
vées, les montagnes et les collines abaissées, ce
qui était creux comblé, ce qui était accidenté
aplani — comme cela se produisait avec le fran-
chissement de la rivière Cailly près de Malaunay
et le projet de viaduc à Barentin —, de tels actes
devaient être accomplis, ainsi que l'enseignait
Isaïe, pour préparer le chemin du Seigneur en
traçant dans le désert une voie royale pour Dieu.
Tant que les desseins de l'homme n'étaient pas
guidés par le sublime fanal de la loi divine,
l'homme restait une créature bestiale et ses travaux les plus formidables ne reflétaient rien de
plus que son péché d'orgueil.

Sur le banc du fond, Adèle somnolait. Le
propriétaire de la ferme *Les Pucelles,* qui avait
bien profité des appropriations de terrain qu'en-
traînait la construction de la ligne Rouen-Le
Havre, et qui avait aussi apporté publiquement
sa contribution financière au Fonds diocésain
d'aide aux veuves et aux orphelins, décida d'écrire
à l'évêque pour se plaindre de cette tendance
qu'avait le jeune prêtre à se répandre en diatribes
théoriques. Ce dont la paroisse avait besoin,
c'était d'une instruction morale simple et directe
sur des questions d'intérêt local. L'évêque admo-
nesta dûment le curé de Pavilly, tout en se féli-
citant d'avoir eu la sagacité de placer le jeune
homme à bonne distance de la ville. Que le feu
de sa colère se consume parmi des âmes simples,
là où il ne pourrait causer grand dommage.

L'Église était un lieu fait pour la foi, pas pour les idées.

Les trois Français retournèrent vers les premières bicoques du pauvre campement.

« Ainsi nous n'avons pas été attaqués par des *banditti* ? dit le Dr Achille.

— Pas pour le moment, répondit sa femme.

— Ni volés par des bohémiens ?

— Non.

— Ni mordus par des sauterelles ?

— Pas vraiment.

— Et nous n'avons pas vu fouetter les esclaves bâtisseurs de Pyramides ? »

De nouveau elle lui donna malicieusement une petite tape sur le bras, et il sourit.

Le terrassier qu'ils avaient vu savonner son chien de chasse était parti. « Ces chiens sont dressés pour tuer notre gibier, grommela Charles-André. On dit que deux de ces bêtes peuvent terrasser un bélier adulte. »

Mais la bonne humeur du Dr Achille ne pouvait être altérée. « Il y a assez de lièvres dans notre pays. J'échangerais volontiers quelques lapins contre une voie ferrée. »

Yorkey Tom, toujours assis sur la même petite chaise dure, chauffait au soleil son menton rasé de frais. La courte pipe qui était fichée au coin de sa bouche se dressait presque à la verticale,

et ses yeux paraissaient fermés. Les trois Français
examinèrent de nouveau prudemment ce féroce
dévoreur de bœuf, ce robuste charognard. Le chef
d'équipe n'avait rien adopté des habitudes vesti-
mentaires françaises. Il portait un paletot carré,
un gilet de peluche écarlate parsemé de pois
noirs, et une culotte de velours retenue à la taille
par une lanière de cuir, avec d'autres lanières aux
genoux, sous lesquels des mollets galbés descen-
daient jusqu'à une paire d'épais brodequins ; à
côté de lui, sur un tabouret, était posé un chapeau
de feutre blanc au bord relevé. Il avait l'air
exotique et pourtant raisonnable, tel un animal
étrange mais doté de sens commun. D'ailleurs il
n'était pas mécontent d'être observé — car en
gardant un œil entrouvert pour surveiller son
chapeau, il pouvait aussi voir ces mangeurs de
grenouilles qui le reluquaient comme des badauds.

Du moins gardaient-ils poliment leurs distan-
ces. Cela faisait presque cinq ans qu'il était en
France, et pendant tout ce temps on lui avait
enfoncé des cannes et des bâtons dans les côtes,
on l'avait dévisagé, on lui avait craché dessus ; on
avait lancé des chiens à ses trousses, et les « durs »
du coin avaient commis l'erreur de vouloir se
mesurer à lui. Mais on l'avait aussi applaudi,
embrassé, étreint, nourri et fêté. Souvent les
Frenchies de la région considéraient les travaux
comme une sorte de spectacle gratuit, et les
terrassiers anglais réagissaient parfois en leur
montrant fièrement ce dont ils étaient capables.

Billy le Rouquin, qui avait vécu maritalement
avec une Française pendant deux ans sur la ligne
Paris-Rouen, traduisait leurs diverses exclama-
tions de surprise, que Yorkey Tom et son équipe
se plaisaient à provoquer. Ils étaient les rois du
chantier, et ils le savaient. Il fallait une année
pour faire d'un robuste ouvrier agricole un terrassier endurci, et la transformation nécessaire
était encore plus importante pour un Français
maigrichon qui ne mangeait que du pain, des
légumes et des fruits, qui devait se reposer souvent et avait besoin d'une bonne réserve de
mouchoirs pour éponger sa triste figure.

Maintenant l'attention des Français était acca-
parée par une dispute qui menaçait d'éclater près
de la bicoque voisine. La vieille sorcière était en
train de tirer sur une des grosses ficelles qui
disparaissaient dans le liquide fangeux de sa marmite. À côté d'elle se tenait un géant barbu qui
vérifiait en grognant l'hiéroglyphe inscrit sur l'étiquette. Un morceau de viande, que transperçait
la ficelle en son milieu, émergea. La vieille le
balança dans une assiette et ajouta un quignon
de pain. La méfiance du terrassier poilu se reporta
de l'étiquette sur le morceau de viande. Celui-ci
semblait avoir perdu, depuis qu'il l'avait confié à
la vieille quelques heures plus tôt, un peu de sa
forme originelle, beaucoup de sa couleur, et toute
son identité. Le géant se mit à la houspiller, mais
il était impossible de savoir si c'était à cause de
sa façon de cuisiner ou de son manque d'honnê-

teté ; bien qu'ils fussent tous les deux anglais, ils braillaient et criaient en utilisant l'obscure *lingua franca* des campements.

Les trois Français, souriant encore de cette petite comédie, retournèrent à leur voiture.

Le curé de Pavilly, rappelé à l'ordre par son évêque, abandonna le domaine des considérations théoriques. Il était de son devoir de mettre en garde ses paroissiens, dans les termes les plus sévères, contre tout contact avec cette armée de philistins et de barbares qui s'approchait. Il avait mené sa propre enquête, était même allé en personne parmi eux, et avait recueilli les renseignements suivants. D'abord, ils n'étaient chrétiens ni dans l'observance de leur foi, ni dans leur comportement moral. La preuve en était qu'ils avaient renié leurs noms de baptême chrétiens, préférant se faire connaître sous des noms d'emprunt, sûrement dans l'intention d'induire en erreur les forces de l'ordre. De plus, ils ne respectaient pas le jour du Seigneur : ou bien ils travaillaient ce jour-là, ou bien ils le consacraient à diverses activités, des plus frivoles, comme le toilettage de leurs chiens, aux plus criminelles, comme l'utilisation de ces mêmes chiens pour le vol du gibier et du bétail. Il est vrai qu'ils travaillaient dur, et étaient justement rétribués pour leur labeur, mais leurs salaires trois fois plus élevés que les autres ne faisaient que les enfoncer trois fois plus profondément dans la bestialité. D'ailleurs ils ne possédaient aucun sens de l'économie et dépensaient leur argent dès qu'ils le touchaient, de préférence en boisson. Ils volaient sans même prendre la peine de s'en cacher. En outre, ils faisaient fi des lois du mariage chrétien — vivant ouvertement avec des femmes dans le péché de fornication, et même refusant à ces femmes la moindre pudeur ; leurs huttes communes n'étaient rien de plus que des lieux de débauche et de prostitution. Ceux qui parlaient leur propre langue blasphémaient constamment pendant leur travail, tandis que ceux qui parlaient la langue commune des chantiers ne valaient pas mieux que les bâtisseurs de la tour de Babel — et celle-ci n'était-elle pas restée inachevée, et ses bâtisseurs n'avaient-ils pas été confondus et disséminés sur toute la surface de la Terre ? Enfin et surtout, ces terrassiers blasphémaient par leurs actes mêmes, puisqu'ils relevaient les vallées et aplanissaient les lieux accidentés pour servir leurs propres desseins, sans tenir compte, sinon pour les mépriser, des desseins du Seigneur.

Le propriétaire de la ferme *Les Pucelles* hochait la tête d'un air approbateur. Pourquoi venait-on à l'église après tout, si ce n'était pour entendre une vigoureuse condamnation des autres et la confirmation implicite de ses propres vertus ? La fille Adèle, sur son banc du fond, avait aussi écouté avec une grande attention, parfois même bouche bée.

Les trois Français, qui étaient devenus des spectateurs assidus des travaux de terrassement, qui s'étaient émerveillés en voyant les exploits et les dangers méprisés de la piste à brouette et en étaient venus à comprendre pourquoi un terrassier anglais gagnait de 3 shillings 6 pence à 3 sh. 9 p. par jour, alors que son homologue français recevait de 1 sh. 8 p. à 2 sh. 3 p., visitèrent le chantier ferroviaire pour la dernière fois vers la fin de l'année 1845. Le viaduc de Barentin était maintenant presque terminé. Ils contemplèrent l'édifice, par-delà les champs gelés : cent pieds de haut, un tiers de mile de long, avec vingt-sept arches d'une portée de cinquante pieds chacune. Il avait coûté, affirma Charles-André, quelque cinquante mille livres anglaises, et devait être inspecté prochainement par le ministre des Travaux publics et d'autres officiels français de haut rang.

Le Dr Achille suivit des yeux la courbe nonchalante que décrivait le viaduc en traversant la petite vallée, et compta pour lui-même les élégantes arches symétriques. « Je n'arrive pas à comprendre, dit-il enfin, pourquoi mon frère, qui prétend être un artiste, ne peut voir l'immense beauté des chemins de fer. Pourquoi les détestet-il à ce point ? Il est trop jeune pour être aussi vieux jeu...

— Il soutient, je crois, répondit Mme Julie d'un ton circonspect, que les progrès de la science nous rendent aveugles aux imperfections morales. Ils nous donnent l'illusion que nous progressons nous-mêmes, ce qu'il estime être dangereux. Du moins c'est ce qu'il dit, ajouta-t-elle comme pour réserver son propre jugement.

— Ça lui ressemble bien, reprit son mari. Trop brillant pour voir la simple vérité. Regardez cet édifice devant nous. Un chirurgien pourra désormais voyager plus vite pour sauver la jambe d'un malade. Où est l'illusion là-dedans ? »

Dans les premiers jours de janvier 1846, peu après la visite approbative du ministre français des Travaux publics, des pluies torrentielles s'abattirent sur la région située au nord de Rouen. Vers six heures, le matin du 10 janvier, la cinquième arche du viaduc de Barentin se rompit et s'effondra. Les autres arches suivirent les unes après les autres, et bientôt l'édifice tout entier ne fut plus qu'un monceau de ruines sur le fond de la vallée. Il était difficile de savoir au juste si la faute en revenait à une construction trop hâtive, à une chaux locale inadéquate, ou à la tempête ; mais les journaux français, y compris *Le Fanal de Rouen,* encouragèrent une réaction xénophobe au désastre. Non seulement l'ingénieur en chef, Mr. Locke, et les entrepreneurs, Mr. Brassey et Mr. Mackenzie, étaient anglais, mais la plupart des travailleurs l'étaient aussi, ainsi que la plupart de ceux qui avaient investi dans ce projet. Quel autre intérêt pouvaient-ils avoir que de soutirer de l'argent à l'État français, tout en laissant derrière eux un ouvrage défectueux ?

Le curé de Pavilly se sentit pleinement justifié. La tour de Babel était tombée et ses ouvriers étaient confondus. Ceux qui avaient blasphémé en se comparant aux bâtisseurs de cathédrales avaient été jetés à terre. Le Seigneur avait manifesté sa réprobation. Qu'ils érigent donc à nouveau leur extravagante construction, aussi haut qu'ils le veulent ! Car rien désormais ne pourrait effacer le geste divin. Le péché d'orgueil avait été puni. Et de crainte de succomber lui-même à cette tentation, le prêtre consacra son sermon, le dimanche suivant, au devoir de charité. Le propriétaire de la ferme *Les Pucelles* donna plus généreusement que de coutume à la quête. La fille Adèle n'était pas sur le banc du fond. Elle s'était absentée à maintes reprises du village au cours des dernières semaines, et d'étranges mots bâtards avaient infecté son vocabulaire. Tous n'en furent pas surpris à Pavilly ; sa maîtresse avait souvent dit qu'elle risquait fort de devenir grosse avant de devenir honnête.

Mr. Brassey et Mr. Mackenzie furent grandement affligés par le malheur survenu à Barentin,

mais ils réagirent vaillamment. Ils n'attendirent
ni les procédures de justice, ni la répartition des
responsabilités, mais se mirent aussitôt à chercher
plusieurs millions de nouvelles briques. Présu-
mant que la chaux locale était la cause du désastre, ils firent venir de la chaux hydraulique d'un
site éloigné. Avec de l'énergie et de la détermination, et grâce au savoir-faire de leurs hommes,
Mr. Brassey et Mr. Mackenzie réussirent à recons-
truire le viaduc en moins de six mois, et en
assumèrent eux-mêmes tous les frais.

Le curé de Pavilly n'assista pas à la cérémonie
d'inauguration de la ligne Rouen-Le Havre. Il y
avait une garde d'honneur militaire, et les hommes et les femmes de la bonne société, dont le
Dr Achille et Mme Julie, étaient présents. Des
prêtres en surplis portaient de gros cierges qui
atteignaient le niveau de la coupole de la locomotive. Mr. Locke, l'ingénieur en chef, et ses
deux entrepreneurs ôtèrent leur chapeau lorsque
l'évêque longea la lisse machine cylindrique construite par Mr. William Buddicom, naguère directeur à Crewe, dans sa nouvelle usine de Sotte-
ville. L'évêque aspergea d'eau bénite la chambre
à feu, la chaudière et la boîte à fumée ; puis, plus
haut, le robinet à vapeur et les valves de sécurité.
Après quoi, comme s'il n'était pas encore satisfait, il revint sur ses pas pour asperger les roues

motrices, l'axe de manivelle et les bielles, les tampons et la cheminée et le levier de mise en route et le marchepied. Il n'oublia pas non plus le tender spécialement aménagé pour l'occasion, sur lequel plusieurs hauts dignitaires étaient déjà assis. Il n'omit point les crochets d'attelage, le réservoir à eau et les tampons à ressort ; il inonda le frein comme s'il était saint Christophe en personne. La locomotive fut entièrement bénie et ses futurs voyages furent placés sous la protection de Dieu et de ses saints.

Plus tard il y eut un festin pour les terrassiers anglais. La cavalerie française monta la garde tandis que plusieurs bœufs étaient rôtis et que les hommes buvaient tout leur content. Ils restèrent d'humeur joviale malgré leur ébriété, et dansèrent ensuite vigoureusement, en dirigeant leurs partenaires avec la ferme dextérité dont ils faisaient preuve chaque jour en maniant leur brouette. On vit Adèle virevolter entre Yorkey Tom et Nobby la Perche. À la tombée de la nuit ils firent exploser des pétards pour fêter ce grand jour, et les brusques détonations inquiétèrent les habitants les plus timorés. *Le Fanal de Rouen* rendit longuement compte de l'événement, et tout en rappelant une fois de plus l'effondrement du viaduc de Barentin, fit l'éloge de la stature homérique des terrassiers anglais et les compara une dernière fois, en une aimable confusion de cultures, aux bâtisseurs des grandes cathédrales.

Dix ans après l'inauguration de la ligne Rouen-

Le Havre, Thomas Brassey fut officiellement récompensé pour les nombreux ouvrages qu'il avait réalisés en France. Il avait alors également construit les lignes Orléans-Bordeaux, Amiens-Boulogne, Rouen-Dieppe, Nantes-Caen, Caen-Cherbourg. L'empereur Napoléon III l'invita à dîner aux Tuileries. L'entrepreneur était assis à côté de l'impératrice, et il fut tout particulièrement touché par cette amabilité qu'elle eut de lui parler presque tout le temps en anglais. Au cours de cette soirée, l'Empereur des Français remit solennellement à Mr. Brassey la Croix de la Légion d'honneur. En recevant cette décoration, l'entrepreneur étranger répondit modestement : « Mrs. Brassey sera contente de l'avoir. »

Expérience

Son histoire ne commençait pas toujours de la même façon. Dans la version qui semblait avoir sa préférence, mon oncle Freddy était à Paris pour affaires : il y représentait une société qui fabriquait de la véritable encaustique naturelle. Il était entré dans un bar et avait commandé un verre de vin blanc. Son voisin lui avait demandé quel était son secteur d'activité, et il avait répondu : « *Cire réaliste*.* »

Mais j'ai aussi entendu mon oncle la raconter différemment. Par exemple, il avait été amené à Paris par un riche milord pour lui servir de navigateur dans un rallye automobile. L'inconnu du bar (nous sommes maintenant au Ritz, à propos) était raffiné et hautain, si bien que le français de mon oncle avait dû se montrer à la hauteur des circonstances. Lorsqu'on lui avait demandé quel était l'objet de son voyage, il avait répondu : « *Je suis, sire, rallyiste*.* » Dans une troisième version, qui me semblait la moins plausible — mais le quotidien est si souvent absurde que l'absurde peut en devenir à son tour vraisemblable —, le vin blanc que buvait mon oncle était un reuilly. C'était, expliquait-il, un petit cru de la vallée de la Loire qui rappelait un peu le sancerre. Mon oncle était nouveau à Paris, et avait déjà ingurgité plusieurs verres (nous nous trouvons à présent dans un *petit zinc** du *quartier latin*),* si bien que lorsque l'inconnu (qui cette fois n'était pas hautain) avait demandé ce qu'il buvait, il avait ressenti ce double affolement que l'on éprouve quand une locution étrangère nous échappe et qu'on ne trouve pour la traduire qu'une tournure désespérément inadéquate. Ayant opté pour le modèle idiomatique « *I'm on the beer* » , il avait dit : « *Je suis sur reuillys**. » Une fois j'ai reproché à mon oncle ce que ses souvenirs avaient de contradictoire, et il m'a adressé un petit sourire satisfait. « Étonnant, n'est-ce pas, le subconscient ? a-t-il répondu. Si inventif... »

Non seulement le voisin du bar entrait en scène sous des aspects physiques différents, mais il se présentait sous des noms aussi divers que Tanguy, Prévert, Duhamel ou Unik ; une fois même, Breton lui-même. Nous pouvons au moins être sûrs de la date de cette rencontre par ailleurs problématique : mars 1928. En effet, mon oncle, comme les commentateurs les plus prudents en sont eux-mêmes convenus, est — était — nul autre que cet individu qui apparaît sous le léger camouflage des initiales « T.F. » dans la séance n° 5 (a) des dialogues, célèbres pour leur côté fort peu « platonique », du Groupe surréaliste sur le sexe. La transcription de cette séance a été publiée dans un appendice aux *Recherches sur la sexualité, janvier 1928 — août 1932.* Les notes précisent que mon oncle fut presque certainement présenté au groupe par Pierre Unik, et que « T.F. », contrairement à ce que suggéraient les divagations ultérieures de son subconscient, était tout simplement en vacances à Paris.

Ne soyons pas trop sceptiques au sujet de l'*entrée** imméritée de mon oncle dans le cercle surréaliste. Il leur arrivait bel et bien, après tout, d'accueillir des personnes étrangères au groupe — un prêtre défroqué, un militant du P.C. — afin qu'elles participent à leurs discussions. Et peut-être pensaient-ils qu'un Anglais de vingt-neuf ans conventionnel, prétendument invité à la suite d'un malentendu linguistique, pourrait élargir utilement leur champ de références. Mon oncle aimait attribuer cette faveur au dicton français selon lequel « chaque notaire porte en soi les débris d'un poète ». Je ne suis ni l'un ni l'autre, comprenez bien (et mon oncle ne l'était pas non plus). Cet échantillon de sagesse populaire est-il plus vrai que son contraire : chaque poète porte en soi les débris d'un notaire ?

Oncle Freddy affirmait que la séance à laquelle il assista se déroula dans l'appartement de l'homme qu'il avait rencontré dans le bar ; ce qui limite les possibilités à cinq. Il y avait une dou-

zaine de participants, d'après mon oncle ; neuf,
selon les *Recherches*. Je dois préciser que puisque
la séance n° 5 (a) n'a pas été publiée avant 1990,
et que mon oncle est mort en 1985, il n'a jamais
été confronté qu'à des incohérences qu'il s'était
infligées à lui-même. Par ailleurs, l'histoire d'Oncle Freddy et des surréalistes était strictement
réservée à ce qu'il appelait le fumoir, un lieu où
une certaine audace narrative était plus accepta-
ble. Après avoir fait jurer aux personnes pré-
sentes un silence éternel vis-à-vis de Tante Kate,
il s'étendait longuement sur le caractère franchement licencieux des propos échangés en 1928.
Parfois il prétendait avoir été choqué, et soutenait
qu'il avait entendu plus d'obscénités en une soirée parmi des intellectuels parisiens qu'en trois
ans de vie de caserne pendant la dernière guerre.
À d'autres moments il se présentait rétrospectivement comme un jeune Anglais élégant et plein
d'expérience, un petit malin, un dandy, qui ne
demandait pas mieux que de refiler quelques
bons tuyaux, quelques raffinements techniques, à
ces Français dont l'intensité cérébrale, à son avis,
entravait les réactions sensuelles normales.

Il va sans dire que la séance publiée ne confirme
aucune de ces versions. Ceux qui ont lu les
Recherches reconnaîtront ce curieux mélange d'enquête pseudo-scientifique et de réponses franchement subjectives. La vérité est que chacun parle
de sexe d'une manière différente, tout comme
chacun, supposons-nous naturellement, le pra-

tique d'une façon différente. André Breton, l'animateur du groupe, est une figure noblement socratique, austère et parfois antipathique. (« Je n'aime pas qu'on me caresse. Je déteste ça. ») Les autres sont, à des degrés divers et selon les moments, bienveillants ou cyniques, enclins à l'autodérision ou fanfarons, sincères ou sarcastiques. Heureusement, ces dialogues sont pleins d'humour — humour involontaire parfois, celui qui naît du froid jugement de la postérité, mais plus souvent volontaire, engendré par le constat mélancolique de notre humaine faiblesse. Par exemple, au cours de la séance n° 3, Breton demande à ses compagnons s'ils acceptent qu'une femme touche leur sexe quand celui-ci n'est pas en érection. Marcel Noll répond qu'il déteste ça. Benjamin Péret dit que si une femme lui fait ça, il se sent diminué. Breton est du même avis : le mot diminué correspond exactement à ce qu'il ressentirait. À quoi Louis Aragon réplique : « Si une femme ne touchait mon sexe que quand il est en érection, il ne le serait pas souvent. »

Mais je m'écarte de mon sujet. J'essayais sans doute aussi de retarder le moment où il me faudrait admettre que la participation de mon oncle à la séance n° 5 (a) est, dans l'ensemble, franchement décevante. Peut-être y avait-il quelque chose de faussement démocratique dans cette hypothèse qu'un Anglais ramassé dans un bar à la suite d'un quiproquo verbal aurait un témoignage important à apporter devant un tel tribu-

nal. On pose à « T.F. » la plupart des questions
habituelles : dans quelles conditions il préfère
avoir des rapports sexuels ; comment il a perdu
son pucelage ; si et comment il peut dire si une
femme est parvenue à l'orgasme ; avec combien
de personnes il a eu des rapports sexuels ; quand
il s'est masturbé pour la dernière fois ; à combien
d'orgasmes successifs il peut parvenir ; et ainsi de
suite. Je ne me donnerai pas la peine de rapporter
ici les réponses de mon oncle, parce qu'elles sont
soit banales, soit, j'imagine, pas tout à fait sincères. Quand Breton lui pose cette question typi-
quement détaillée : « En dehors du vagin, de la
bouche ou de l'anus, où préférez-vous éjaculer
par ordre de préférence : 1) l'aisselle ; 2) entre
les seins ; 3) sur l'abdomen ? », Oncle Freddy
répond quelque chose comme : « Est-ce que le
creux de la paume est permis ? » Quand on lui
demande quelle position il préfère, mon oncle
répond qu'il aime être allongé sur le dos, avec la
femme assise sur lui. « Ah ! dit alors Benjamin
Péret, la "position du paresseux"... »

Mon oncle est ensuite interrogé sur la propension britannique à la sodomie, ce qui le met sur
la défensive, jusqu'au moment où il apparaît que
ce n'est pas d'homosexualité qu'il s'agit, mais
plutôt de sodomie entre hommes et femmes. Mon
oncle est déconcerté. « Je ne l'ai jamais fait,
répond-il, et je n'ai jamais entendu parler de
quelqu'un qui le faisait. » « Mais rêvez-vous de
le faire ? » demande Breton. « Je n'ai jamais rêvé

de le faire », répond obstinément « T.F. ». « Avez-vous jamais rêvé de baiser une bonne sœur dans une église ? » continue Breton. « Non, jamais. » « Un prêtre ou un moine alors ? » demande Queneau. « Non, ça non plus. »

Je ne suis pas surpris que la séance n° 5 (a) soit reléguée dans un appendice. Les interrogateurs et camarades-confesseurs sont d'humeur léthargique et routinière, tandis que le témoin-surprise ne cesse de se défiler. Mais il y a, vers la fin de la soirée, un moment où la présence de l'Anglais paraît brièvement justifiée. Je pense qu'il est préférable que je transcrive ici ce dialogue *in extenso*.

André Breton : Que pensez-vous de l'amour ?

« T.F. » : Quand deux personnes se marient...

André Breton : Non, non, non ! Le mot *mariage* est anti-surréaliste.

Jean Baldensperger : Et des rapports sexuels avec les animaux ?

« T.F. » : Que voulez-vous dire ?

Jean Baldensperger : Les moutons. Les ânes.

« T.F. » : Il y a très peu d'ânes à Ealing. Nous avions un lapin domestique.

Jean Baldensperger : Avez-vous eu des rapports avec ce lapin ?

« T.F. » : Non.

Jean Baldensperger : Avez-vous rêvé d'avoir des rapports avec ce lapin ?

« T.F. » : Non.

André Breton : Je ne peux pas croire que votre vie sexuelle soit à ce point dénuée d'imagination et de surréalisme.

Jacques Prévert : Pouvez-vous nous décrire les différences principales qui existent entre des rapports sexuels avec une Anglaise et avec une Française ?

« T. F. » : Je ne suis arrivé en France qu'hier.

Jacques Prévert : Êtes-vous impuissant ? Non, ne vous vexez pas. Je ne parle pas sérieusement.

« T.F. » : Peut-être puis-je apporter une contribution en décrivant une chose dont il m'arrivait de rêver.

Jean Baldensperger : Ça a un rapport avec les ânes ?

« T.F. » : Non. Il y avait des sœurs jumelles qui vivaient dans ma rue.

Jean Baldensperger : Vous vouliez avoir des rapports sexuels avec les deux en même temps ?

Raymond Queneau : Quel âge avaient-elles ? C'étaient des jeunes filles ?

Pierre Unik : Vous êtes excité par le lesbianisme ? Vous aimez voir des femmes se caresser entre elles ?

André Breton : S'il vous plaît, Messieurs, laissez parler notre hôte. Je sais bien que nous sommes des surréalistes, mais là c'est l'anarchie !

« T.F. » : Je regardais ces sœurs jumelles, qui étaient en tout point identiques extérieurement, et je me demandais jusqu'où cette identité pourrait aller.

André Breton : Vous voulez dire, si vous aviez eu des rapports sexuels avec l'une d'elles, dans quelle mesure auriez-vous pu savoir si c'était bien elle et pas l'autre ?

« *T. F.* »: Exactement. Au début. Et cette question en a amené une autre : et s'il y avait deux personnes — deux femmes — qui dans leurs...

André Breton : Dans leurs mouvements sexuels...

« *T.F.* » :... qui dans leurs mouvements sexuels seraient exactement semblables, et qui seraient pourtant, à tous autres égards, complètement différentes ?

Pierre Unik : Des sosies érotiques socialement disparates.

André Breton : Précisément. Il s'agit là d'une contribution très intéressante. Et même, si je puis me permettre de le dire à notre hôte anglais, d'une contribution quasi surréaliste.

Jacques Prévert : Ainsi vous n'avez pas encore couché avec une Française ?

« *T.F.* » : Je vous l'ai dit, je ne suis arrivé qu'hier.

Ainsi se conclut dans ce document la participation de mon oncle Freddy à la séance n° 5 (a), qui revient ensuite sur des questions déjà discutées au cours de la séance n° 3, à savoir la distinction entre orgasme et éjaculation, et le rapport entre les rêves et le désir masturbatoire.

Manifestement mon oncle n'avait pas grand-chose
à dire sur ces sujets.

J'ignorais bien sûr tout de cette future corroboration quand je vis mon oncle pour la dernière
fois, en novembre 1984. Tante Kate n'était plus
de ce monde, et mes visites à « T.F. » (comme
j'ai tendance à l'appeler maintenant) étaient devenues, de plus en plus, des visites faites par devoir.
Les neveux préfèrent généralement les tantes aux
oncles. Tante Kate était rêveuse et indulgente ;
il y avait en elle quelque chose d'un peu voilé,
d'un peu secret. Oncle Freddy était si carré et
direct que c'en devenait inconvenant ; ses pouces
avaient l'air glissés dans les poches de son gilet
même quand il portait un costume deux-pièces.
Son attitude, aussi bien morale que physique,
impliquait non sans rudesse qu'il comprenait, lui,
véritablement en quoi consistait la virilité, que sa
génération avait miraculeusement réalisé ce difficile équilibre entre une répression antérieure et
un laxisme ultérieur, et que toute déviation par
rapport à ce *beau idéal** était regrettable, sinon
carrément funeste. C'est pourquoi je n'étais jamais
tout à fait à l'aise avec le futur « T.F. ». Il a
déclaré une fois qu'il considérait comme relevant
de sa responsabilité avunculaire de me communiquer sa science du vin, mais ses manières pé-
dantes et péremptoires m'ont dégoûté de ce sujet
jusqu'à une date assez récente.

C'était devenu une habitude après la mort de
Tante Kate : à chaque anniversaire d'Oncle

Freddy, je l'emmenais dîner quelque part, et ensuite nous revenions dans son appartement de Cromwell Road et nous abrutissions d'alcool. Pour lui cela ne tirait pas à conséquence, mais je devais penser à mes patients, et chaque année je m'efforçais de ne pas m'enivrer autant que l'année précédente. Je ne peux pas dire que j'aie jamais réussi, car si ma détermination était plus forte à chaque fois, l'ennui que j'éprouvais en présence de mon oncle l'était aussi. D'après mon expérience, il existe plusieurs bonnes raisons mineures — remords, peur, malheur, bonheur — pour se permettre un certain abus d'alcool, et une raison plus sérieuse pour se permettre un plus grand excès : l'ennui. J'ai connu un alcoolique intelligent qui affirmait qu'il buvait parce qu'il lui arrivait alors des choses qui ne lui arrivaient jamais quand il était sobre. Je le croyais à moitié, bien qu'à mon avis l'alcool ne fasse pas vraiment arriver quoi que ce soit, il vous aide seulement à supporter le fait pénible que rien n'arrive. À supporter, en l'occurrence, le fait pénible que mon oncle était exceptionnellement ennuyeux lors de ses anniversaires.

La glace se fendillait en tombant dans le whisky, l'appareil de chauffage à gaz émettait un bruit sourd, Oncle Freddy allumait ce qu'il prétendait être son cigare annuel, et la conversation se tournait une fois de plus vers ce que j'appelle désormais la séance n° 5 (a). Ainsi en cette dernière occasion :

« Rappelez-moi donc, mon oncle, ce que vous faisiez au juste à Paris.

— Eh bien, j'essayais de joindre les deux bouts... Je faisais ce que font tous les jeunes hommes. » Nous en étions à notre deuxième demi-bouteille de whisky ; une troisième serait nécessaire pour que se développe en nous une forme bienvenue d'anesthésie. « La tâche du mâle à travers les âges, pas vrai ?

— Et vous avez réussi ?

— Réussi quoi ?

— À joindre les deux bouts.

— Tu as l'esprit bien mal tourné pour un garçon de ton âge, dit-il avec la soudaine et capricieuse agressivité qu'engendre l'alcool.

— J'ai de qui tenir, Oncle Freddy. » Je plaisantais, naturellement.

« Est-ce que je t'ai raconté... », et le voilà lancé — si ce verbe n'évoque pas trop fortement un orateur qui sait où il va et qui y va sans détours. Cette fois il avait de nouveau choisi d'être à Paris en tant que navigateur et mécanicien de quelque milord anglais.

« Quelle sorte de voiture était-ce ? Juste par curiosité...

— Panhard », répondit-il dédaigneusement. C'était toujours une Panhard quand il racontait cette version. Je me demandais alors, pour me distraire, si une telle cohérence ponctuelle de la part de mon oncle rendait cette partie de son récit plus probablement vraie, ou plus probablement fausse.

« Et où allait ce rallye ?

— Par monts et par vaux, mon garçon. Ici et là... D'un bout du pays à l'autre.

— Histoire de joindre les deux bouts.

— Arrête de dire des obscénités.

— J'ai de qui...

— Alors j'étais dans ce bar... »

Je l'aiguillonnai doucement en lui posant les questions dont il avait besoin pour parvenir au point culminant de son récit — un des rares points, au demeurant, sur lesquels il était en accord avec la séance n° 5 (a) telle qu'elle serait ultérieurement publiée.

« ... alors un des gars me demande "Est-ce que vous l'avez déjà fait avec une Française ?", et je réponds "Eh, laissez-moi le temps, j'ai débarqué seulement hier !"»

Normalement j'aurais affecté d'émettre quelques gloussements anémiques, versé encore un peu de scotch dans les verres, et attendu qu'Oncle Freddy passe à un autre sujet. Cette fois, pour une raison ou pour une autre, je refusai cette conclusion.

« Alors vous l'avez fait ?

— Fait quoi ?

— Avec une Française ? »

J'enfreignais les règles du jeu, et sa réponse constitua une sorte de reproche ; du moins c'est ainsi que je l'interprétai. « Ta tante Kate était aussi innocente que l'enfant qui vient de naître, déclara-t-il avec un hoquet. Elle me manque toujours autant après toutes ces années, tu sais. J'ai hâte d'aller la rejoindre.

— Allons, il ne faut pas se laisser abattre, Oncle Freddy. » Ce n'est pas le genre d'expression que j'utilise habituellement. Je faillis ajouter « Le bonhomme a encore du ressort », tant l'influence de mon oncle était pernicieuse et délétère. Au lieu de cela je répétai : « Alors, est-ce que vous l'avez fait avec une Française ?

— Il y a là, mon garçon, une histoire que je n'ai jamais racontée à âme qui vive. »

Je pense que si j'avais alors manifesté un intérêt sincère, je l'aurais peut-être effarouché, mais je songeais, accablé, que mon oncle n'était pas seulement un vieux raseur, mais une parodie de vieux raseur. Pourquoi n'allait-il pas, affublé d'une jambe de bois, pérorer dans quelque pub à l'ancienne en brandissant une pipe en terre ? « Il y a là une histoire que je n'ai jamais racontée à âme qui vive. » Les gens ne parlent plus comme ça. Et pourtant mon oncle venait de le faire.

« Ils m'ont arrangé quelque chose, tu comprends...

— Qui vous a arrangé quelque chose ?

— Les surréalistes. Mes nouveaux amis.

— Ils vous ont trouvé du travail, vous voulez dire ?

— Tu es idiot ce soir ou dans ton état normal ?

Je ne suis pas sûr de pouvoir le dire. Ils m'ont trouvé une femme. Enfin, deux, pour être exact. »

Je commençai alors à prêter quelque attention à ses paroles. Il va sans dire que je ne le croyais pas. Il en avait probablement assez du peu d'impact que son énième *Comment j'ai rencontré les surréalistes* avait visiblement sur moi, et avait imaginé quelque nouvel enjolivement.

« Tu vois, à mon avis, ces petites réunions... Ils avaient tous envie de se retrouver pour raconter des cochonneries, mais ils ne pouvaient pas le reconnaître, alors ils prétendaient qu'il y avait je ne sais quelle intention scientifique derrière tout ça. En réalité ils n'étaient pas très doués pour dire des cochonneries. Trop inhibés au fond, je suppose. Des intellectuels. Aucun feu dans les veines, rien que des idées. Sapristi, en trois ans d'armée... »

Je vous épargne cette diversion rituelle.

« ... alors je voyais bien où ils voulaient en venir, mais je n'allais pas entrer dans leur jeu. Dire des cochonneries devant un groupe d'étrangers, c'est un peu comme de trahir son propre pays. C'est antipatriotique, tu ne crois pas ?

— Je n'ai jamais essayé, mon oncle.

— Ah ! Tu as la langue bien pendue ce soir. Jamais essayé ! Exactement comme eux, ils voulaient savoir ce que je n'avais jamais essayé. L'ennui avec ces gens-là, c'est que si tu leur dis que tu n'as jamais voulu faire ceci ou cela, ils ne te croient pas. En fait, justement parce que tu dis que tu ne veux *pas* faire ceci ou cela, ils présument que c'est ce que tu meurs d'envie de faire au plus profond de toi-même. Absurde, hein ?

— Peut-être.

— Alors j'ai pensé qu'il m'incombait de relever le niveau de la discussion. Ne ris pas, je sais ce que je dis. Attends un peu de te retrouver en compagnie d'intellectuels qui ne parlent tous que de Popaul... Alors je leur dis : "Tenez, voici un sujet de réflexion. Imaginez deux filles qui font l'amour de la même manière. Exactement de la même manière, si bien qu'en fermant les yeux on ne pourrait pas faire la différence. Est-ce que ça ne serait pas quelque chose ?" Et avec tous leurs brillants cerveaux ils n'avaient encore jamais pensé à ce petit problème... Ça les a rudement secoués, c'est moi qui te le dis ! »

Cela ne me surprend pas. C'est une de ces questions qu'on a tendance à ne jamais poser. Ni au sujet de soi-même (« Y a-t-il quelqu'un d'autre, quelque part, qui le fait d'une façon qu'on ne pourrait distinguer de la mienne ? »), ni au sujet des autres. Dans le domaine du sexe, nous sommes sensibles à la différence, non à la ressemblance : elle/il est/était super/pas terrible/fantastique/un peu ennuyeux(se)/simulateur (trice), ou quoi que ce soit ; mais nous ne pensons pas généralement « Oh, sa façon de faire l'amour ressemblait beaucoup à celle d'Un Tel ou Une Telle il y a deux ou trois ans. En fait, si j'avais fermé les yeux.. » Non, le plus souvent nous ne pensons pas ainsi. Par courtoisie, en partie, j'imagine ; un désir de préserver l'individualité des autres. Et peut-être aussi la crainte que si vous leur faites ça, ils ne se mettent à penser la même chose à votre sujet.

« Alors mes nouveaux amis m'ont arrangé ça.

— ... ?

— Ils voulaient me remercier pour ma contribution lors de nos discussions. Vu qu'elle s'était révélée si positive. Le gars que j'avais rencontré dans ce bar m'a dit qu'il reprendrait contact avec moi.

— Le rallye était certainement sur le point de commencer, mon oncle ? » Bah, c'était dur de résister...

« Le lendemain il s'est amené et il m'a dit que le groupe m'offrait ce qu'il appelait un cadeau surréaliste. Ils étaient émus par le fait qu'aucune Française ne m'avait encore prodigué ses faveurs, et ils étaient disposés à remédier à cette situation.

— Remarquablement généreux. » Une remarquable chimère, voilà ce que je pensais en réalité.

« Il a dit qu'ils m'avaient réservé une chambre pour le lendemain après-midi à trois heures dans un hôtel du quartier Saint-Sulpice. Il a ajouté qu'il serait là aussi. J'ai trouvé ça un peu bizarre, mais d'un autre côté, à cheval donné... tu connais le proverbe. "Pourquoi serez-vous là ? j'ai demandé. Je n'ai pas besoin qu'on me tienne la main." Alors il m'a expliqué de quoi il s'agissait. Ils voulaient que je prenne part à une expérience.

Ils voulaient savoir si l'amour physique avec une
Française était différent de l'amour physique avec
une Anglaise. J'ai demandé pourquoi ils avaient
besoin de moi pour être fixés sur ce point. Il a
répondu qu'ils pensaient que je réagirais d'une
façon plus directe et spontanée. Ils voulaient dire
par là, je suppose, que je n'y réfléchirais pas
pendant des heures comme ils le feraient sûrement.

«" Entendons-nous bien, j'ai dit. Vous voulez
que je passe une heure ou deux avec une Française, et que je vienne vous dire le lendemain ce
que j'en pense ?" "Non, répond le gars, pas le
lendemain, le surlendemain. Le *lendemain* on
vous a réservé la même chambre, avec une autre
fille." "C'est chouette, que je fais, deux Françaises
pour le prix d'une..." "Pas tout à fait, qu'il réplique, l'une d'elles sera anglaise. Vous devrez dire
laquelle est française et laquelle est anglaise."
"Eh bien, que je rétorque, je peux savoir ça rien
qu'en disant *Bonjour** et en les regardant." "C'est
pourquoi, il répond, vous n'aurez pas le droit de
dire *Bonjour**, ni de les regarder. Je serai là
quand vous arriverez et je vous banderai les yeux,
puis je ferai entrer la fille. Quand elle s'en ira et
que vous entendrez la porte se refermer, vous
pourrez ôter le bandeau. Qu'en pensez-vous ?"

« Ce que j'en pensais ? Eh bien, franchement
les bras m'en tombaient. Je venais de me dire, à
cheval donné on ne regarde pas la bride, et voilà
maintenant qu'il était question de ne pas regarder

la bride de *deux* chevaux donnés, ni quoi que ce soit d'autre... Ce que j'en pensais ? D'homme à homme, j'avais l'impression que deux Noëls étaient arrivés en même temps. Une partie de moi-même n'était pas trop emballée par cette histoire de bandeau. Mais — d'homme à homme —, une autre partie l'était plutôt. »

N'est-ce pas pathétique, cette façon qu'ont les vieillards de mentir au sujet de leurs expériences sexuelles d'antan ? Peut-on imaginer invention plus transparente ? Paris, la jeunesse, une femme, *deux* femmes, une chambre d'hôtel, le tout arrangé et payé par quelqu'un d'autre ? À d'autres, Oncle Freddy ! Vingt minutes dans un *hôtel de passe** avec une serviette rêche et une chaude-pisse à la clef, voilà qui est déjà plus plausible. Pourquoi les vieillards ont-ils besoin de ce genre de réconfort ? Et quels scénarios banals ces radoteurs se racontent à eux-mêmes... Okay, Oncle Freddy, passons vite à la scène torride. Nous oublierons le navigateur de rallye.

« Alors j'ai dit, entendu, topez là. Et le lendemain après-midi je suis allé dans cet hôtel derrière l'église Saint-Sulpice. Il s'est mis à pleuvoir et j'ai dû courir de la station de métro à l'hôtel et j'y suis arrivé en nage. » Pas mal, ça. Je m'étais attendu qu'il évoque une radieuse journée de printemps et une sérénade d'accordéonistes à travers les jardins du Luxembourg. « Je suis entré dans la chambre, le gars était là, il m'a pris mon chapeau et mon manteau. Je n'avais pas très

envie de me retrouver à poil devant ce type, tu
t'en doutes. Il m'a dit "Ne vous inquiétez pas,
elle fera le reste". Il m'a fait asseoir sur le lit,
m'a bandé les yeux avec ce foulard qu'il avait,
m'a fait jurer sur mon honneur d'Anglais de ne
pas tricher, et a quitté la pièce. Quelques instants
plus tard j'ai entendu la porte s'ouvrir. »

Mon oncle posa son verre de whisky, renversa
la tête en arrière et ferma les yeux — les ferma
pour se souvenir de choses qu'il n'avait certainement jamais vues. Avec indulgence, je le laissai
prolonger son silence. Enfin il dit : « Et puis le
lendemain. La même chose. Il pleuvait aussi ce
jour-là. »

L'appareil de chauffage retenait bruyamment
son souffle, les glaçons tintaient dans mon verre
comme pour inciter Oncle Freddy à continuer,
mais il ne semblait pas vouloir le faire. Ou peut-
être s'était-il arrêté pour de bon. Je ne pouvais
pas accepter ça. C'était — comment dire ?
— une forme de provocation sexuelle narrative.

« Et alors ?

— Et voilà, dit doucement mon oncle. C'est
tout. »

Nous restâmes silencieux pendant une minute
ou deux, mais à la fin je ne pus faire autrement
que de poser la question : « Et quelle *était* la
différence ? »

Oncle Freddy, la tête en arrière et les yeux
toujours fermés, émit un son qui tenait à la fois
du soupir et du gémissement. Finalement il dit :

« La Française a léché les gouttes de pluie sur mon visage. » Il rouvrit les yeux, et me montra ses larmes.

Je fus étrangement ému. J'éprouvais aussi une sorte de méfiance lasse, mais cela ne m'empêchait pas d'être ému. *La Française a léché les gouttes de pluie sur mon visage.* Je fis à mon oncle — qu'il fût un menteur assez convaincant ou un vieil homme sentimental perdu dans ses souvenirs — le don de mon envie.

« Vous avez pu deviner ?

— Deviner quoi ? » Il avait l'air absent, comme tiraillé et titillé par ses lointains souvenirs.

« Laquelle était anglaise et laquelle était française ?

— Oh, oui...

— Comment ?

— À ton avis ?

— Une odeur d'ail ? »

Petit rire. « Non. Elles avaient mis du parfum toutes les deux, en fait. Un parfum assez fort. Pas le même, bien sûr.

— Alors... elles faisaient des choses différentes ? Ou était-ce leur façon de le faire ?

— Secret d'alcôve. » Voilà qu'il reprenait son air suffisant.

« Allons donc, Oncle Freddy !

— Je me suis toujours fait une règle de ne rien raconter sur mes petites amies.

— Oncle Freddy, vous ne les avez même pas

vues. On vous les a procurées. Ce n'étaient pas vos amies.

— Pour moi elles l'étaient. Toutes les deux. C'est l'impression qu'elles m'ont laissée, et c'est ainsi que je les ai toujours considérées. »

C'était exaspérant, et le moins irritant n'était pas que j'avais été amené malgré moi à ajouter foi aux chimères de mon oncle. Et à quoi bon inventer une histoire, si c'est pour escamoter ensuite les faits essentiels ?

« Mais vous pouvez bien me le dire, mon oncle, puisque vous le leur avez dit.

— À qui ?

— Aux membres du groupe. Vous leur en avez rendu compte le lendemain.

— Eh bien, la parole d'un Anglais est sacrée, sauf quand elle ne l'est pas. Tu as vécu assez longtemps pour savoir ça. Et d'ailleurs... la vérité est que j'ai eu le sentiment, pas tellement la première fois mais surtout la seconde, que quelqu'un m'observait.

— Quelqu'un dans l'armoire ?

— Je ne sais pas où, ni comment. J'en ai eu l'intuition, d'une façon ou d'une autre. Je me suis senti pas très net. Et comme je disais, je me suis fait une règle de ne jamais rien raconter sur mes petites amies. Alors le lendemain j'ai pris le train pour l'Angleterre. »

En oubliant le rallye automobile, ou la carrière dans la vente de véritable encaustique naturelle, ou quoi que ç'ait pu être d'autre.

« Et ça, continua mon oncle, c'est la chose la plus intelligente que j'aie jamais faite. » Il me regarda comme s'il n'avait raconté toute cette histoire que pour en arriver là. « Parce que c'est là que j'ai rencontré ta tante Kate. Dans le train pour l'Angleterre.

— J'ignorais cela.

— Tu n'avais aucune raison de le savoir. Un mois plus tard on était fiancés, trois mois plus tard on était mariés. »

Un printemps bien rempli en vérité. « Et que pensait-elle de votre aventure ? »

Son visage se ferma de nouveau. « Ta tante Kate était aussi innocente que l'enfant qui vient de naître. Je ne lui aurais pas plus parlé de cela que... que je me serais curé les dents en public.

— Vous ne le lui avez jamais dit ?

— Jamais. De toute façon, mets-toi un peu à sa place. Elle rencontre ce garçon prometteur, s'entiche de lui, lui demande ce qu'il a fait à Paris, et il lui répond qu'il a culbuté des filles, à raison d'une par jour, après avoir promis à des amis de revenir dire des cochonneries sur elles. Tu crois qu'elle aurait longtemps le béguin pour lui ? »

Pour autant que je puisse en juger, Tante Kate et Oncle Freddy avaient formé un couple uni. Son chagrin à lui quand elle était morte, même exagéré jusqu'au mélodrame sous l'effet de l'alcool, avait paru tout à fait sincère. J'attribuais le fait qu'il lui eût survécu six ans à la simple habitude de vivre. Deux mois après cette ultime soirée d'anniversaire, il renonça à cette habitude. L'enterrement n'eut rien que de très ordinaire, avec sa foule clairsemée et compassée : une couronne surréaliste avec un motif obscène aurait sans doute apporté une touche d'originalité.

Cinq ans plus tard les *Recherches sur la sexualité* parurent, et l'histoire de mon oncle fut partiellement corroborée. Ma curiosité et ma frustration furent aussi ravivées, car je me retrouvais confronté aux mêmes vieilles questions. J'en voulais à mon oncle de s'être tu et de ne m'avoir laissé que *La Française a léché les gouttes de pluie sur mon visage.*

Comme je l'ai déjà mentionné, la rencontre de mon oncle avec le groupe surréaliste était reléguée dans un simple appendice. Les *Recherches* sont, bien entendu, copieusement annotées : préface, introduction, texte, appendices, notes du texte, notes des appendices, notes des notes. Je suis probablement la seule personne à avoir remarqué ce qui présente d'ailleurs, tout au plus, un intérêt familial. La note 23 de la séance n° 5 (a) précise que l'Anglais désigné par les lettres T.F. a été, en une occasion, le sujet de ce qui est décrit comme une « tentative de vérification d'une théorie surréaliste *(cf.* la note 12 de l'appendice 3) », mais qu'aucune trace des résultats obtenus ne subsiste. La note 12 de l'appendice 3 décrit ces « tentatives de vérification » et mentionne le fait qu'une Anglaise était impliquée dans certaines de ces expériences. Cette femme est désignée seulement par la lettre K.

Pour conclure je ferai simplement deux réflexions. La première est que lorsque des chercheurs utilisent des volontaires pour faire avancer leurs travaux, ils cachent souvent à ces participants l'objet réel de l'expérience, de crainte que cela n'affecte, consciemment ou non, la pureté du processus et la justesse du résultat.

La seconde ne m'est venue que tout récemment. Je crois avoir fait allusion à l'intérêt que je porte depuis peu au vin. Je fais partie d'un petit groupe qui se réunit deux fois par mois : chacun de nous apporte une bouteille, et nous essayons de reconnaître chaque vin au goût. Le plus souvent nous nous trompons, parfois nous trouvons — quoique ce qui relève du « vrai » et du « faux » soit, dans ce domaine, une affaire compliquée. Si un vin a pour vous le goût d'un jeune chardonnay australien, alors, dans un sens, c'est ce qu'il est. L'étiquette peut bien proclamer ensuite qu'il s'agit d'un bourgogne très coûteux : s'il n'a pas été cela dans votre bouche, c'est sans doute ce qu'il ne pourra jamais vraiment devenir.

Ce n'est pas tout à fait ce que je voulais dire. Je voulais dire qu'il y a une quinzaine de jours nous avions un professeur parmi nous. Cette femme est une spécialiste réputée, et elle nous a dit quelque chose d'intéressant. Apparemment, si vous prenez un magnum et en versez le contenu dans deux bouteilles sans étiquette, il est extrê-

mement rare que des dégustateurs même perspi-
caces devinent que le vin qui provient de ces
deux bouteilles est en réalité le même. Les gens
s'attendent que tous les vins soient différents, et
leur palais leur assure donc qu'ils le sont. Elle a
dit que c'était une expérience très révélatrice, et
qu'elle réussissait presque toujours.

Melon

Très chère cousine —

Une semaine avant mon départ en compagnie de Mr. Hawkins, vous vous êtes plaisamment gaussée de moi en parlant de la vanité de mon expédition — vous avez dit que je ne rechercherais guère que le genre de compagnie que je fréquente habituellement & que les expériences qui en résulteraient ne seraient rien de plus que des jeux d'oursons — & vous m'avez dit aussi que je reviendrais au pays aussi raffiné dans mes manières & mon savoir-vivre qu'un capitaine hollandais débarquant d'un baleinier. C'est pour cette raison que j'ai ordonné dernièrement que notre itinéraire fût modifié — et si je devais mourir victime d'une attaque de brigands, de la négligence d'un médecin de campagne ou du venin d'une vipère, ce serait de votre faute, *Mademoiselle** Evelina — puisque c'est à cause de vous que nous avons interrompu notre voyage vers l'Italie pour venir à Montpelier. Mr. Hawkins s'est permis quelques remarques à ce sujet

— il a dit qu'il n'aurait jamais cru que vous étiez
une telle autorité en matière de géographie française, étant donné que vous ne vous êtes jamais
aventurée plus près de la Gaule que les fois où
vous vous êtes rendue à la bibliothèque de Nesfield.

Mes propres remarques au sujet des brigands
& des vipères n'étaient pas d'une nature très
sérieuse, Evelina — n'imaginez surtout pas qu'elles le sont, ou que vous seriez responsable si
quelque accident nous survenait, à Mr. Hawkins
& à moi-même — d'ailleurs il est armé d'un
mousqueton, comme je vous l'ai dit, ce qui doit
décourager à la fois les brigands & les vipères.
Quoi qu'il en soit Montpelier est une belle ville
— elle est *bien percée** pour utiliser l'expression
française, & ma foi, je suis devenu si « gaulois »
moi-même que je me souviens à peine de l'équivalent anglais des expressions françaises dont je
me sers — nous dirions que c'est une *finely laid
out city.* Nous logeons au *Cheval-Blanc,* qui est
considéré comme étant la meilleure auberge de
la ville, & pourtant Mr. Hawkins n'y voit qu'un
taudis sordide où le voyageur est plumé de tous
côtés comme un oiseau de passage. Mr. Hawkins
n'a pas très bonne opinion des hostelleries françaises, dont il soutient que la qualité ne s'est pas
améliorée depuis la dernière fois qu'il était en
France, au temps de Charlemagne, lorsque vous
étiez encore au berceau, chère cousine — mais
j'incline à être plus généreux ou tolérant sur ce

point — & de toute façon cela fait partie de ses
attributions de discuter des prix & de s'occuper
des faquins. Mais vous ne m'avez pas demandé
de vous écrire pour que je vous dise ce genre de
chose, j'en suis bien certain. Montpelier est une
belle ville & un lieu de pèlerinage pour les gens
mal portants, ce qui réjouira sûrement maman
— le beurre est étrange mais à mon avis plutôt
bon, il est très blanc & ressemble à de la pom-
made pour cheveux — nous n'avons pas pu trouver d'eau chaude pour notre thé dans plusieurs
établissements successifs, ce qui, vous l'imaginez
bien, a fort mécontenté mon maussade précepteur, & il n'a pas répondu quand j'ai dit pour
plaisanter que la chaleur du jour compensait la
chaleur absente de l'eau. Il a tendance à se
comporter avec moi comme s'il était un médecin
& moi quelque jeune demeuré, ce que je trouve
très irritant. Il dit trouver mon regain de bonne
humeur excessif pour les circonstances, comme je
trouve excessive son impertinence. Sur le chemin
de Montpelier, à environ huit lieues d'ici seulement, nous sommes passés par Nismes & nous
avons pu voir les monuments romains, un sujet
sur lequel Mr. Hawkins avait beaucoup à dire
— le Pont Du Garde est en effet un remarquable
édifice & je l'ai dessiné pour votre plaisir.

Après Lyon nous avons traversé la Bourgogne,
ce qui nous a permis d'observer les vendanges.
Les collines & les montagnes de cette région
semblent avoir été disposées par Dieu de façon

que les vignobles qui couvrent chaque pente, du nord jusqu'au sud, bénéficient de toute la générosité de Phaéton. Les grappes de raisin pendent comme de grosses perles aux rameaux & se mêlent même aux ronces & aux broussailles des haies — Mr. Hawkins et moi avons bien sûr été tentés de goûter au résultat de leur pressage — en vérité le vin de Bourgogne que nous avons trouvé là était fade et manquait de force comparé à ceux que l'on peut acheter à Londres & j'ai dû renoncer à mon idée d'acquérir un tonneau de la dernière cuvée à notre retour — il faut donc croire que le meilleur vin de Bourgogne est exporté & vendu à l'étranger — car lorsque nous avons atteint le Dauphiné nous avons bu un vin appelé Hermitage, qui avait la force que nous n'avions pas trouvée dans le bourgogne — il était vendu trois livres la bouteille — nous avons aussi vu un engin muni de roues en fer connu sous le nom d'*alambic,* que l'on traîne à grand fracas de village en village afin de distiller le vin local en alcool — mais je crains que tout cela ne soit pas du plus grand intérêt pour vous.

Je rougis au souvenir de mes premières lettres — & les reprendrais volontiers si cela était possible — c'étaient les lettres d'un enfant gâté qui regrettait sa cousine & voyait dans la différence une simple bizarrerie — néanmoins je pense encore que le maquereau puant & la salade préparée avec de l'huile puante & l'omelette faite avec des œufs puants que la faim nous a obligés à dévorer à Saint-Omer étaient tous véridiquement décrits. Mais je ne m'étais pas encore débarrassé de ma mélancolie & j'avoue avec regret que parfois la méfiance & l'hostilité ont étouffé en moi tout autre sentiment. Que les postillons portent des nattes dans le cou & sautent dans des bottes grandes comme des bidons à lait, encore encombrés de leurs godillots — qu'à Paris les messieurs portent des parapluies quand il fait beau pour se protéger du soleil — que ces mêmes gentlemen aient recours aux services de barbiers pour leurs chiens — que les chevaux aient toujours l'air miteux — que la limonade soit vendue dans les rues — j'ai maintenant une meilleure compréhension de ces choses que je n'en avais alors — & une meilleure compréhension que l'irascible Mr. Hawkins, qui se fâche & transpire pour un rien, n'en aura peut-être jamais.

Il est vrai cependant que certaines de ces auberges sont sordides & que nous y avons vu plus d'une fois — mais non, ma chère, il n'est pas nécessaire que vous soyez informée de telles choses, surtout dans une lettre dont votre jeune sœur pourrait s'emparer. Il y a deux aspects de ce pays auxquels, si francisé que je sois, je ne m'habitue qu'à grand-peine — cette infernale division du calendrier en *jours maigres & jours gras** — les mots *jour maigre !* résonnent sans cesse à nos oreilles chaque fois que notre estomac réclame un bon beefsteak — les Français préféreraient commettre un meurtre infâme plutôt que

de manger la partie prohibée de la Création le
mauvais jour — c'est extrêmement contrariant &
Dieu bénisse l'Angleterre, le pays de la raison.
Et je ne peux m'habituer non plus au fait qu'il
n'y a pas une seule jolie fille à regarder — en
vérité c'est un peuple basané & de Boulogne à
Paris, puis de Paris à Lyon, nous n'avons vu que
des femmes qui auraient aussi bien pu être des
muletiers — dans une hostellerie au sud de Lyon,
alors que nous dînions, une jolie fille est entrée
enfin & toute la compagnie, Français & voyageurs, lui a fait l'hommage d'une ovation à laquelle
elle était manifestement accoutumée — mais que
rien de tout cela ne vous inquiète — je contemple
le médaillon chaque soir avant de dire mes prières.

Les gens du commun sont beaucoup plus sales
ici qu'en Angleterre — ils sont maigres & famé-
liques — pas au point cependant de ne pouvoir
sombrer dans la mauvaise humeur, l'indécence &
le crime — c'est un peuple impulsif bien sûr —
à Montpelier j'ai vu un cocher fouetter un cheval
qui était tombé sur ses genoux dans la rue & ne
pouvait se relever — c'était un spectacle bar-
bare — Hawkins m'a interdit d'intervenir comme
je l'aurais fait à Nesfield — & quand il a eu fini
de fouetter l'animal son maître est sorti de la
maison & a fouetté le cocher à son tour jusqu'à
ce qu'il tombe à genoux comme le cheval à côté
de lui — puis le maître s'est retiré chez lui & le
cocher s'est jeté au cou du cheval — je n'en retire

aucune leçon, mais si je commençais à vous faire le récit de toutes les cruautés dont j'ai été témoin, vous me supplieriez de revenir sans que mon regard se fût jamais posé sur l'Italie.

Les gens de qualité sont à mon sens plus soucieux de leur apparence qu'en Angleterre — alors que chez nous les gens du peuple sont moins sales & moins débraillés qu'en France — ici les gens de qualité ne négligeraient pas leur toilette comme le font parfois volontiers les Anglais — le Français doit avoir ses manchettes de dentelle & ses cheveux poudrés & doit paraître propre & bien habillé — néanmoins sa maison est souvent sale & jonchée de détritus, ce qu'un Anglais ne tolérerait pas — cela ressemble à une devinette enfantine, vaut-il mieux avoir un homme ordonné dans une maison désordonnée, ou un homme désordonné dans une maison ordonnée ? — demandez cela à votre précepteur la prochaine fois qu'il vous entretiendra de philosophie morale. Nous avons pu voir la saleté & le désordre de leurs maisons grâce à leur hospitalité & cordialité naturelles, qu'ils ne refusent pas même à un ourson mal léché & à son revêche précepteur — c'est en effet le peuple le plus amical & accueillant que je connaisse — vous me direz que mon expérience dans ce domaine est moins étendue qu'elle pourrait l'être, mais je suis allé à Édimbourg, ne l'oubliez pas.

Je me suis tout particulièrement informé, auprès de nombreuses personnes de qualité, de la sorte

de sports et de divertissements qu'elles pratiquent
& n'ai obtenu que des réponses peu fournies
— il y a les courses de chevaux bien sûr — il y a
la chasse — il y a le jeu, un sujet auquel, si on
vous le demande, je n'ai fait aucune allusion dans
cette lettre, chère cousine — les gens du peuple
ont leurs propres divertissements, comme on peut
s'y attendre — cependant je ne vois pas qu'il y
ait des sports tels qu'ils sont pratiqués en Angleterre — c'est une faiblesse dans une nation me
semble-t-il. Mais tout cela est dénué d'intérêt
pour vous.

Hier soir on nous a servi des petits oiseaux
appelés *grives** que, faute de dictionnaire, nous
n'avons pu identifier — ils étaient présentés enve-
loppés dans des feuilles de vigne & rôtis mais le
sang en coulait encore quand on les coupait —
Mr. Hawkins a protesté que c'était de la viande
crue — on nous a expliqué que si on les rôtit
trop longtemps le jus est perdu — vous devez
vite aller voir dans le dictionnaire quelle sorte de
créature nous avons mangée — il y a aussi des
perdrix rouges deux fois plus grosses que les
nôtres — mais vous allez avoir autant sommeil
en lisant cela que moi en l'écrivant — bonne nuit,
ma cousine.

Post-scriptum. Mr. Hawkins se doute que j'ai
négligé de vous informer en détail de toutes les
caractéristiques de tous les monuments antiques
de Nismes & du Pont Du Garde — combien de
niveaux combien d'arches combien de pieds de

haut de quel type d'architecture s'agit-il ? Toscan
Mr. Hawkins — c'est comme d'être encore en
classe — question : les anciens nous surpassaient-
ils en beauté comme nous les surpassons en
commodités ? — Evelina, vous surpassez tous les
anciens en beauté — j'ai affirmé à Mr. Hawkins
que vous avez été informée de tout ce qu'il a
déversé dans mes oreilles pendant que je dessi-
nais — je serais surpris qu'il ne vous interroge
pas à ce sujet à notre retour — je vous aime si
tendrement ma chère cousine & j'espère que je
vous manque un peu — ma mélancolie est tout
à fait dissipée à présent — je me suis traité d'idiot
en venant à Montpelier car je ne peux espérer
lire une lettre de vous avant que nous soyons
arrivés à Nice ou même à Gênes.

La religion occupe une très grande place dans
ce pays — les prêtres & les moines y abon-
dent — nous avons vu beaucoup d'églises ornées
de nombreuses statues dans des niches sur le
devant — Mr. Hawkins saura quel nom ça
porte — cela m'échappe pour le moment
— nous n'entrons pas dans beaucoup d'entre elles
& seulement par curiosité pour les objets
anciens — il y a beaucoup d'argent & de verre
coloré & l'encens irrite les narines comme du
tabac à priser, si bien que je dois avoir constamment mon mouchoir à la main — il y a de grands
crucifix aux carrefours & dans les champs — il y
a beaucoup de protestants dans cette ville & ils
sont traités avec bienveillance par les autorités

— toutefois selon la loi française un ministre protestant ne peut célébrer son culte — l'un d'eux a été pendu sur la place du marché pour s'en être rendu coupable.

Vous auriez peine à imaginer les melons que nous dévorons depuis que nous avons atteint l'extrémité sud du pays — de l'esplanade où nous nous promenons nous pouvons apercevoir la mer Méditerranée d'un côté & les monts Sevennes de l'autre — on ne croirait pas que le fruit qui est si prisé & entouré de tant de soins à Nesfield — si protégé de l'araignée rouge — puisse être si facile à obtenir & abondant dans un autre lieu — on jurerait qu'il s'agit d'une autre espèce, la chair en est riche & dorée & sucrée & odorante — il me transformerait en voluptueux ou du moins en Français — on a même vu Mr. Hawkins, selon des témoins sûrs, esquisser un sourire lorsqu'on en déposait une tranche devant lui. Comme vous voyez, les inquiétudes de ma mère au sujet de ma disposition d'esprit sont tout à fait injustifiées.

Ma chère Evelina, les voyages n'améliorent guère les qualités épistolaires de votre cousin — la vérité est que je souffre d'une gaucherie avec la plume que j'éprouve rarement quand je suis devant vous — vous continuerez donc à vous moquer de moi en me traitant de pêcheur de baleine hollandais — présentez mes hommages les plus respectueux à Monsieur votre père et

Madame votre mère — je rêve de votre délicate écriture qui m'attend à Nice.

Votre cousin affectionné,
Hamilton Lindsay

*

Sir Hamilton Lindsay partit pour Chertsey le jeudi 6 août. Samuel Dobson voyageait sur le siège du cocher avec le valet d'écurie, sir Hamilton à l'intérieur avec les battes de cricket. C'était là, il le savait sans avoir besoin d'y réfléchir, la priorité normale : la pluie et le mauvais temps ne feraient qu'endurcir Dobson, tandis que les battes étaient plus sensibles aux rigueurs des éléments et devaient être traitées avec soin. Quand le voyage devenait trop ennuyeux, sir Hamilton prenait un chiffon doux et frottait délicatement le plat de sa batte avec un peu de beurre. D'autres préféraient utiliser de l'huile, mais cette particularité lui faisait éprouver une certaine fierté de gentilhomme campagnard. L'instrument lui-même avait été taillé dans une branche de saule coupée sur ses propres terres ; et maintenant il était frotté avec du beurre fabriqué avec le lait de vaches qui avaient brouté l'herbe de ces mêmes prairies inondables au bord desquelles les saules poussaient.

Il en termina avec ses tendres soins et enveloppa la batte dans la pièce de mousseline à l'intérieur de laquelle elle voyageait toujours.

Celle de Dobson était de facture plus grossière, et Dobson avait certainement ses propres secrets pour la rendre aussi forte et souple qu'il le désirait. Certains frottaient leur batte avec de la bière ; d'autres avec le gras d'un jambon ; d'autres encore, à ce qu'on disait, chauffaient leur batte près du feu, puis urinaient dessus. Sans doute fallait-il que la lune soit dans un certain quartier au même moment, pensa sir Hamilton en hochant la tête d'un air sceptique. La seule chose qui comptait, c'était la façon dont vous frappiez la balle ; et Dobson pouvait se mesurer aux meilleurs d'entre eux. Mais c'était la constance et la vaillance du bras droit de cet homme qui avaient décidé sir Hamilton à le faire venir à Nesfield.

Dobson était le second aide-jardinier du château. Mais ce n'était pas vers lui qu'on se serait volontiers tourné pour la réalisation d'un paysage conçu par le regretté Mr. Brown. Il était à peine capable de distinguer un lupin d'un navet, et sa tâche se limitait aux efforts physiques d'ordre général, plutôt qu'aux travaux qualifiés d'ordre particulier. Bref, il n'était pas autorisé à manier une pelle en l'absence d'un supérieur. Mais sir Hamilton ne l'avait pas embauché — ou débauché, comme disait son employeur précédent — dans le but de se procurer un coupeur de gazon aux doigts de fée. La compétence de Dobson concernait un autre genre de gazon. Le spectacle de sa stoïque détermination, quand il était tout près d'un batteur adverse, compensait largement ses défaillances dans le jardin potager.

Ils arriveraient à Chertsey le lendemain, puis continueraient samedi en direction de Douvres. Cinq des joueurs du duc habitaient juste à côté de Chertsey : Fry, Edmeads, Attfield, Etheridge et Wood. Et puis il y aurait lui-même, Dobson, le comte de Tankerville, William Bedster et Lumpy Stevens. Le duc était à Paris, naturellement ; Tankerville et Bedster viendraient séparément à Douvres ; de sorte qu'ils se retrouveraient à huit dans l'auberge de Mr. Yalden à Chertsey. C'était là que, quelques années plus tôt, Lumpy Stevens avait fait gagner à Tankerville son fameux pari. Le comte avait parié que son serviteur pourrait toucher une plume placée sur le sol une fois sur quatre à l'entraînement[1]. Mr. Stevens avait rendu ce service à son employeur, lequel, disait-on, avait empoché plusieurs centaines de livres en cette occasion. Lumpy Stevens était un des jardiniers de Tankerville, et sir Hamilton avait souvent songé à un autre pari qu'il aurait pu proposer au comte, et qui aurait porté sur la question de savoir lequel de leurs deux jardiniers en savait le moins en matière d'horticulture.

Son humeur, il le reconnaissait tandis que le paysage défilait à l'extérieur sans qu'il y prêtât la moindre attention, était sombre et irritable.

1. C'est-à-dire à une distance d'environ vingt mètres. *(N.d.T.)*

Mr. Hawkins avait décliné son invitation à l'accompagner pendant ce voyage. Hamilton avait
exhorté son ancien précepteur à poser une dernière fois les yeux sur le continent européen. Et
il estimait que c'était sacrément généreux de sa
part de proposer ainsi au vieil homme de le
trimbaler jusqu'à Paris et retour et de s'exposer
sans nul doute à de pénibles scènes de vomisse-
ments et de lamentations sur le bateau, si le passé
offrait quelque indication pour juger du présent.
Mais Mr. Hawkins avait répondu qu'il préférait
ses souvenirs de tranquillité au spectacle des troubles actuels. Il ne voyait rien de bien excitant dans
ce projet, si reconnaissant qu'il fût envers sir
Hamilton de l'avoir invité. Reconnaissant et pusil-
lanime, avait pensé sir Hamilton en prenant congé
du vieillard aux genoux ankylosés. Aussi pusilla-
nime qu'Evelina, qui avait versé des torrents de
larmes pour le dissuader de partir. À deux reprises il l'avait surprise en conciliabule avec Dobson,
et n'avait pu apprendre ni de l'un ni de l'autre
quel était le sujet réel de leur conversation. Dobson affirmait qu'il essayait de calmer les appré-
hensions et les craintes de Milady relatives à ce
voyage, mais sir Hamilton n'était pas entièrement
convaincu. Qu'avaient-ils à craindre de toute
façon ? Les deux nations n'étaient pas en guerre,
leur mission était pacifique, et aucun Français, si
ignorant fût-il, ne prendrait jamais sir Hamilton
pour un de ses concitoyens. Et d'ailleurs ils
seraient onze, tous vigoureux et armés de solides

échantillons de bois de saule anglais. Qu'est-ce qui pourrait bien leur arriver de fâcheux ?

À Chertsey ils descendirent à l'auberge *The Cricketers,* où Mr. Yalden les reçut fort bien, en regrettant que l'époque où il pouvait encore jouer au cricket fût révolue. D'autres le regrettèrent moins que lui, car leur hôte ne s'était pas toujours montré très scrupuleux quand les règles du jeu l'empêchaient de gagner. Mais scrupuleux il le fut ce soir-là en choisissant le contenu de sa meilleure barrique pour envoyer ses amis de Chertsey et leurs compatriotes sur le sentier de la guerre. Une fois couché, Hamilton eut une vision de beefsteak ballotté dans son estomac sur un océan de bière comme le bateau de Douvres pris dans une tempête au beau milieu de la Manche.

Ses émotions étaient à peine moins turbulentes. Les torrents de larmes d'Evelina l'avaient d'autant plus affecté qu'elle n'avait jamais, en dix ans de mariage, cherché à le dissuader d'aller jouer au cricket quelque part. Elle n'était pas comme la femme de Jack Heythrop ou celle de sir James Tinker : des dames qui frémissaient à l'idée que leur mari puisse frayer sur le terrain avec des forgerons et des gardes-chasse, des ramoneurs et des cireurs de chaussures. Mrs. Jack Heythrop demandait volontiers, le nez pointé vers le ciel : « Comment pouvez-vous espérer exercer votre autorité sur le cocher ou le jardinier alors que, la veille, le premier a intercepté toutes vos balles, et que le second a manifesté un odieux manque de respect pour votre façon de jouer ? » Cela ne favorisait pas l'harmonie sociale, et l'univers sportif se devait de refléter l'univers social. D'où, selon Mrs. Heythrop, la flagrante supériorité et vertu du sport hippique : propriétaire, entraîneur, jockey, palefrenier, chacun savait quelle était sa place, une place fixée d'elle-même en fonction de son évidente importance. Quelle différence avec la sotte promiscuité du cricket, laquelle n'était d'ailleurs, chacun le savait bien, guère plus qu'un prétexte vulgaire pour s'adonner au jeu...

Bien sûr qu'il y avait des paris. Quel est l'intérêt du sport si on ne peut pas jouer un peu d'argent ? Quel est l'intérêt d'un verre de soda s'il n'y a pas de brandy dedans ? Les paris, comme Tankerville l'avait dit une fois, c'était le sel qui faisait ressortir la saveur d'un plat. Hamilton, pour sa part, ne misait plus que des sommes modestes, comme il l'avait promis à Evelina et à sa propre mère avant son mariage. Mais vu son humeur actuelle, et compte tenu de l'argent que l'absence de Mr. Hawkins lui ferait économiser, il avait fichtrement envie de miser un peu plus que de coutume sur le résultat du match qui opposerait l'équipe du duc de Dorset et les gentlemen français. Assurément, certains des gars de Chertsey commençaient à avoir la vue basse et la jambe lourde. Mais si les joueurs de Dorset étaient incapables de damer le pion à *Monsieur,* il ne leur restait plus qu'à transformer leurs battes en petit bois pour l'hiver.

Ils quittèrent Chertsey en malle-poste dans la matinée du dimanche 9 août. Peu avant d'arriver à Douvres, ils croisèrent plusieurs voitures occupées par des Français qui se dirigeaient vers Londres.

« Ils fuient les balles meurtrières de Mr. Stevens, je n'en doute pas, plaisanta sir Hamilton.

— Mieux vaut ne pas lancer à toute volée, Lumpy, dit Dobson, sinon ils feront dans leur culotte.

— Et toi aussi, Dobson, si tu goûtes trop souvent à la cuisine française », répliqua Stevens.

Sir Hamilton se rappela soudain ces vers, qu'il récita aux occupants de la malle-poste :

Elle envoya son prêtre en chaussures de houx
De la hautaine Gaul' pour faire des ragoûts.

Quelques murmures accueillirent ses paroles, et sir Hamilton surprit le regard de Dobson posé sur lui ; son expression était plus celle d'un précepteur soucieux que d'un second aide-jardinier.

À Douvres ils retrouvèrent le comte de Tankerville et William Bedster dans une auberge déjà archipleine d'émigrés français. Bedster était l'ancien maître d'hôtel du comte, et la plus célèbre batte du Surrey ; maintenant il était patron de pub à Chelsea, et sa retraite avait contribué à accroître son tour de taille. Au cours de leur dernier repas anglais, les gars de Chertsey et lui échangèrent railleries et sarcasmes au sujet d'événements litigieux survenus au cours de saisons oubliées et discutèrent bruyamment des mérites du cricket « à deux piquets » par rapport à sa version moderne. Assis dans un autre coin de la salle, Tankerville et sir Hamilton Lindsay parlaient à voix basse et d'un air absorbé de la situation générale en France et de la situation particulière de leur ami John Sackville, troisième duc de Dorset et ambassadeur de Sa Gracieuse Majesté, depuis six ans, à la cour de Versailles. De tels sujets n'étaient pas pour les oreilles de Lumpy Stevens et des gars de Chertsey.

Dorset avait, dès le début, exercé ses fonctions d'une manière bien propre à faire relever le nez de Mrs. Jack Heythrop en signe de désapprobation. Son hospitalité à Paris était des plus généreuses et s'étendait aussi bien aux joueurs et tricheurs professionnels qu'aux p... et aux parasites. Son intimité avec de nombreuses dames de la meilleure société française allait, disait-on, jusqu'à inclure Mme Bourbon elle-même. On murmurait même — mais surtout pas devant des gens comme Mrs. Jack Heythrop ou comme Mr. Lumpy Stevens — que Dorset vivait *en famille** à Versailles. Il laissait à son ami Mr. Hailes les tâches prosaïques de la diplomatie ordinaire.

Depuis sa nomination à ce poste en 1783, le duc avait trouvé tout naturel de retourner passer chaque année la saison de cricket en Angleterre. Mais cet été-là il n'était pas venu. C'était cette absence, plutôt que l'omniprésence des réfugiés français à Londres, qui avait donné à Tankerville et à Lindsay une idée de la gravité des troubles dont l'écho leur parvenait de l'autre côté de la Manche. Au cours de l'été, alors que l'ordre public se détériorait dans la capitale française, des gredins avaient publié des libelles contre la nation britannique, et des rumeurs faisant état d'un blocus des ports français par la Royal Navy s'étaient mises à circuler. Dans ces circonstances alarmantes Dorset avait proposé, vers la fin du mois de juillet, dans un esprit de conciliation et en gage d'amitié entre les deux pays, qu'une équipe de joueurs de cricket anglais fût envoyée à Paris pour rencontrer une équipe française sur les Champs-Élysées. Le duc, qui avait beaucoup œuvré depuis six ans pour promouvoir ce jeu en France, se chargerait d'organiser l'équipe des onze Parisiens. Tankerville avait été prié de s'occuper au plus vite de l'acheminement des joueurs anglais à Paris.

Allongé dans son lit ce soir-là, sir Hamilton se remémorait son voyage avec Mr. Hawkins une douzaine, non, plutôt une quinzaine d'années auparavant. Lui-même commençait à avoir la jambe presque aussi lourde que la plupart des gars de Chertsey. Il se rappelait les chevaux d'aspect miteux et les fines nattes des postillons qui pendaient par-derrière comme des anguilles ;

le maquereau puant et les succulents melons ; le cocher et son cheval, à genoux tous les deux, égaux sous le fouet ; le sang coulant des grives rôties quand on y enfonçait le couteau. Il s'imagina en train de renvoyer les balles lancées par les joueurs français aux quatre coins des Champs-Élysées, tandis que d'autres Français, portant des chiens toilettés par des barbiers, l'applaudissaient sous leur parapluie. Il imagina aussi qu'il voyait approcher la côte française. Il se souvint d'avoir été heureux.

Sir Hamilton Lindsay ne fut jamais mis à l'épreuve sur les Champs-Elysées, et Lumpy Stevens n'eut jamais l'occasion de voir les Français faire dans leur culotte en subissant son diabolique lancer de balle. Lumpy Stevens participa, à Bishopsbourne, au match qui opposa le Kent et le Surrey, sous les yeux de plusieurs gars de Chertsey et de sir Hamilton Lindsay. Leur rendez-vous avec Dorset n'avait pas eu lieu comme prévu dans l'*hôtel** du duc à Paris, mais sur un quai de Douvres, dans la matinée du lundi 10 août 1789. Le duc avait abandonné son ambassade deux jours plus tôt, et avait parcouru les 90 miles qui le séparaient de Boulogne sur des routes encore plus infestées de brigands que d'ordinaire. On supposait que son *hôtel** avait été pillé par la populace quelques heures à peine après son départ ; malgré cela, il était d'humeur remarquablement enjouée. Il était, disait-il, très excité à l'idée de passer la fin de l'été et l'automne en

Angleterre comme il le faisait d'habitude. La capitale française ne lui paraîtrait pas si éloignée que cela, puisque beaucoup de ses amis français étaient maintenant en Angleterre. Il verrait s'il y avait assez d'amateurs de cricket parmi eux pour que le match qu'on avait prévu de disputer sur les Champs-Élysées puisse avoir lieu à Sevenoaks.

*

Le général Hamilton Lindsay et sa femme allaient à pied jusqu'à l'église tous les dimanches après-midi. C'était en vérité un bien étrange pèlerinage, étant donné que sir Hamilton serait entré plus volontiers dans une mosquée ou une synagogue que dans un lieu de culte papiste. Mais le fait que l'église eût été partiellement détruite et fût maintenant très peu fréquentée rendait ces visites beaucoup plus anodines. En outre, c'était le genre d'exercice dont il avait besoin pour stimuler son appétit. Lady Lindsay, depuis qu'elle était venue le rejoindre ici, insistait pour qu'il se dégourdisse ainsi régulièrement les jambes.

Un lieutenant les accompagnait discrètement à quelque distance, ce qui n'offensait pas sir Hamilton, bien qu'il eût donné, sur ce point, sa parole de soldat et de gentilhomme. Les Français prétendaient que c'était une précaution pour le cas où sa femme et lui-même auraient besoin d'être protégés de certains patriotes locaux particulièrement rudes, et il préférait feindre de croire ce mensonge diplomatique. Le général de Rauzan faisait sans nul doute l'objet des mêmes attentions courtoises dans sa villa près de Roehampton.

Des éléments de l'armée révolutionnaire étaient passés par ce village au cours de leur marche sur Lyon une douzaine d'années plus tôt. Les cloches de l'église avaient été jetées à terre, l'argent et le cuivre emportés ; le prêtre avait été forcé de choisir entre le mariage et la fuite. Trois canonniers avaient disposé leur engin face à la porte ouest et s'étaient exercés en prenant pour cible les saints dans leurs niches. Comme le général le faisait remarquer chaque semaine — ce qui le mettait toujours fugitivement de bonne humeur —, la précision de leur tir avait de toute évidence été fort médiocre, comparée à celle dont Lumpy Stevens s'était montré capable. Des livres avaient été brûlés, des portes arrachées de leurs gonds, des vitraux brisés à coups de gourdin. Les soldats avaient même commencé à démolir le mur sud et, en partant, avaient ordonné que l'église fût utilisée comme réserve de moellons. Mais les villageois avaient fait preuve de pieuse obstination, et pas une seule pierre n'avait été prise ; malgré tout, le vent et la pluie oblique s'engouffraient irrespectueusement dans l'édifice endommagé.

À leur retour, le dîner était servi sous l'auvent, sur la terrasse, et Dobson se tenait gauchement derrière la chaise de lady Lindsay. Le général était d'avis que cet homme avait réussi ses reconversions successives avec une certaine habileté : joueur de cricket, jardinier, fantassin, et maintenant majordome, serviteur et ravitailleur en chef. La soudaineté même avec laquelle s'était formé leur *ménage** impromptu avait naturellement introduit un peu plus de familiarité dans leurs rapports qu'il n'eût été envisageable à Nesfield ; pourtant le général s'étonnait du fait que lorsqu'il parlait à sa chère Evelina, son regard avait de plus en plus tendance à s'élever au-dessus du bonnet de sa femme pour se fixer sur Dobson, debout derrière elle. Parfois même, sacrebleu, il se surprenait bel et bien à adresser la parole à Dobson, comme s'il s'attendait qu'il prît part à la conversation. Heureusement le bonhomme était suffisamment stylé pour faire en sorte que son regard ne croise jamais celui de son maître en de telles occasions, et il savait feindre la surdité quand il le fallait. Evelina, pour sa part, traitait les accrocs faits par son mari aux conventions sociales comme une simple excentricité, qu'expliquaient aisément son long exil et son isolement. Elle l'avait trouvé bien changé quand elle était venue le rejoindre trois ans plus tôt : il était devenu corpulent — sans doute à cause d'une nourriture qui ne lui valait rien —, mais aussi indolent et las. Elle n'avait pas douté du plaisir qu'il éprouvait à la revoir, mais elle s'était aperçue que son esprit était désormais tourné exclusivement vers le passé. Il était naturel qu'il pensât tant à l'Angleterre, mais l'Angleterre devait aussi

représenter l'avenir. C'était là ce qu'elle l'exhor-
tait à espérer : un jour sûrement ils pourraient y
retourner. Des rumeurs consternantes leur étaient
parvenues, selon lesquelles Buonaparte était fort
peu impatient de voir le général de Rauzan reprendre son haut commandement ; et il était vrai que
la notoire docilité avec laquelle l'officier français
s'était laissé capturer par sir John Stuart à Maida
était de nature à déplaire à tout chef d'armée.
Mais de telles rumeurs devaient être écartées,
pensait-elle ; il fallait absolument entretenir la
flamme de l'espoir. L'Angleterre, l'Angleterre et
l'avenir, lui répétait-elle avec insistance. Mais
dans l'esprit du général l'Angleterre ne semblait
représenter que le passé, et il était autant relié à
ce passé par Dobson que par sa femme.

« Ces canonniers, ma chère... Ils n'auraient pas
gaspillé autant de poudre s'ils avaient été seulement à moitié aussi adroits que Lumpy Stevens.

— C'est tout à fait vrai, Hamilton. »

Lumpy pouvait toucher une plume placée sur
le sol une fois sur quatre à l'entraînement. Plus
d'une fois sur quatre. Il avait fait gagner son pari
à Tankerville, à Chertsey. Lumpy avait été le
jardinier du comte. Combien d'entre eux étaient
sous six pieds de terre à présent ?

« Dorset n'a plus jamais été le même homme,
reprit-il en poussant les restes de sa côtelette sur
le côté de son assiette. Il s'est retiré à Knole et
n'y a reçu personne. » Sir Hamilton savait de
source sûre que le duc était resté confiné dans

sa chambre comme un anachorète, et que son
seul plaisir avait été d'entendre la musique assour-
die de violons qui lui parvenait de l'autre côté
de la porte.

« J'ai entendu dire que sa famille était prédis-
posée à la mélancolie.

— Dorset a toujours été le plus enjoué des
hommes, répliqua le général. Avant... » C'était
vrai ; et au début il l'était resté, après son retour
de France. Cet automne-là ils avaient joué au
cricket comme ils y avaient joué toute leur vie.
Mais au fur et à mesure que Knole s'était rempli
d'*émigrés** porteurs de mauvaises nouvelles, l'humeur de Dorset s'était assombrie. Des lettres
avaient été échangées avec Mme Bourbon, et
beaucoup voyaient dans la perte de cette intimité
la cause immédiate de sa mélancolie. On répétait,
pas toujours dans un esprit très charitable, qu'en
quittant Paris le duc avait fait don de sa batte de
cricket à Mme Bourbon, et que la dame avait
conservé cet attribut de virilité britannique dans
son cabinet, comme Didon avait conservé les
chausses du défunt Énée. Le général ignorait si
cette rumeur était fondée. Il savait seulement que
Dorset avait continué à jouer au cricket à Sevenoaks jusqu'à la fin de la saison de 1791 — ce
même été au cours duquel Mme Bourbon et son
époux avaient tenté de fuir à l'étranger. Ils avaient
été repris à Varennes, et Dorset n'avait plus
jamais joué au cricket. C'était tout ce que le
général pouvait dire, en dehors du fait que Dor-

set, réduisant le bruit du monde au son assourdi de violons entendus à travers une porte de bois, n'avait pas vécu assez longtemps pour apprendre la nouvelle sanglante du 16 octobre 1793.

Dieu sait qu'il n'était pas un papiste, mais les canonniers et fusiliers de l'armée révolutionnaire n'étaient pas des gentlemen protestants non plus. Ils avaient pris les crucifix dans les champs et en avaient fait un *auto da fé*. Ils avaient promené dans les rues des ânes et des mules habillés en évêques. Ils avaient brûlé des livres de messe et des manuels d'instruction religieuse. Ils avaient forcé les prêtres à se marier et ordonné à des hommes et à des femmes de cracher sur l'image du Christ. Ils avaient descellé les retables avec leurs couteaux et fracassé les têtes des saints à coups de marteau. Ils avaient démonté les cloches et les avaient emportées dans des fonderies pour qu'on en fasse des canons avec lesquels ils pourraient bombarder de nouvelles églises. Ils avaient extirpé le christianisme du pays, et quelle avait été leur récompense ? Buonaparte.

Buonaparte, la guerre, la famine, d'illusoires rêves de conquête, et le mépris de l'Europe. Le général était peiné qu'il en fût ainsi. Ses camarades officiers s'étaient souvent moqués de son inclination prononcée pour tout ce qui était français. C'était là un fait qu'il reconnaissait volontiers, et il se justifiait en témoignant de certains traits du caractère national tels qu'il les avait observés. Mais il savait aussi que la vraie source

de son inclination, c'était surtout dans les sorti-
lèges de la mémoire qu'il eût fallu la chercher. Il
se disait qu'il était probable que tous les hommes
de son âge éprouvaient une certaine affection
pour le jeune homme qu'ils avaient été, et éten-
daient naturellement cette affection aux circonstances extérieures de leur jeunesse. Pour sir
Hamilton, cette époque avait été celle de son
voyage avec Mr. Hawkins. Maintenant il était de
nouveau en France, mais c'était dans un pays
changé et diminué qu'il était revenu. Il avait
perdu sa jeunesse : bon, c'était là une chose que
tout le monde perdait un jour. Mais il avait aussi
perdu son Angleterre et sa France. S'attendait-
on qu'il endure cela aussi ? Son esprit avait
retrouvé un peu de son équilibre depuis qu'ils
avaient autorisé Evelina et Dobson à venir le
rejoindre. Pourtant il y avait des moments où il
devinait ce que ce pauvre diable de Dorset avait
ressenti — sauf que pour lui il n'y avait pas de
porte et que le son des violons n'était pas assourdi.

« Dorset, Tankerville, Stevens, Bedster, moi-
même, Dobson, Attfield, Fry, Etheridge,
Edmeads...

— Le lieutenant nous a procuré un melon,
mon cher.

— Qui est-ce que j'oublie ? Bon sang, qui est-
ce que j'oublie ? Pourquoi est-ce toujours le
même ? » Le général regardait fixement sa femme,
qui s'apprêtait à couper — quoi donc ? Une balle
de cricket ? Un boulet de canon ? Les violons

crissaient dans ses oreilles comme des insectes.
« Qui est-ce que j'oublie ? » Les coudes sur la
table, il se pencha légèrement en avant et posa
le bout de ses doigts boudinés sur ses paupières.
Dobson s'inclina vivement vers lady Lindsay.

« Vous oubliez Mr. Wood, je crois, mon ami,
murmura-t-elle.

— *Wood*. » Le général retira ses doigts de ses
paupières, sourit à sa femme, et hocha la tête
tandis que Dobson posait une tranche de melon
orange devant lui. « Wood. Ce n'était pas un des
gars de Chertsey ? »

Lady Lindsay ne put espérer aucune aide cette
fois, car les yeux de son mari étaient posés sur
elle. Aussi répondit-elle prudemment : « Je ne
l'ai pas entendu dire.

— Non, Wood n'a jamais été un gars de Chertsey. Vous avez raison, ma chère. Oublions-le. »
Le général saupoudra son melon de sucre. « Il
n'est jamais venu en France, bien sûr. Dorset,
Tankerville, moi-même, c'est tout. Dobson, évidemment, est venu en France par la suite. Je me
demande ce qu'ils ont fait de Lumpy Stevens... »

Lumpy Stevens avait fait gagner son pari à
Tankerville. Lumpy Stevens pouvait toucher une
plume une fois sur quatre à l'entraînement. Les
canonniers français...

« Peut-être recevrons-nous une lettre demain,
mon ami.

— Une lettre ? De Mr. Wood ? J'en doute
fort. Mr. Wood est presque certainement en train

de jouer au cricket avec l'ange Gabriel en ce moment même sur le gazon des Champs Élysées... Il doit être mort et enterré à présent. Ils doivent l'être tous. Quoique Dobson ne le soit pas, bien sûr. Non, Dobson ne l'est pas... » Le général jeta un coup d'œil au-dessus du bonnet de sa femme. Dobson était là, regard figé à l'horizontale, sourd à toute conversation.

L'ambassade de Dorset à Paris avait été fort brillante. Des plaintes du genre habituel s'étaient élevées contre lui. Maintenant le monde était gouverné par Mrs. Jack Heythrop et ses semblables. Mais le *Times* avait signalé en 1787 que la présence et l'exemple du duc avaient eu pour conséquence un certain déclin du sport hippique en France, et que la pratique du cricket tendait à le remplacer, ce qui permettait de faire un meilleur usage du gazon français. Le général avait été surpris que le jeune lieutenant qui les surveillait ignorât cela, jusqu'à ce qu'un calcul rapide eût démontré que ce garçon n'avait sans doute pas encore quitté les bras de sa nourrice à l'époque.

Les émeutiers avaient incendié l'*hôtel** de Dorset à Paris. D'autres avaient brûlé les livres de messe et les manuels d'instruction religieuse. Qu'était devenue la batte de cricket de Dorset ? Est-ce qu'ils avaient brûlé cela aussi ? Nous étions sur le point d'embarquer à Douvres, le 10 au matin, lorsque — qui avons-nous vu, sinon le duc en personne. Sur le quai, le bateau-poste à l'ancre

derrière lui. D'excellente humeur avec ça. Alors
on est allés à Bishopsbourne pour y dîner avec
sir Horace Mann, et le lendemain il y a eu ce
match Kent-Surrey...

« Dorset, Tankerville, Stevens, Bedster, moi-
même...

— Ce melon est bien sucré, vous ne trouvez
pas ?

— Dobson, Attfield, Fry, Etheridge, Edmeads...

— Je pense que nous pouvons espérer recevoir
une lettre demain.

— Qui est-ce que j'oublie ? Qui est-ce que
j'oublie ? »

Le médecin, bien qu'il fût français, avait fait à
lady Lindsay l'effet d'être un homme raisonnable.
C'était un ancien élève et un disciple de Pinel. Il
était d'avis qu'il ne fallait pas laisser la mélancolie
de son patient se transformer en *démence**. Il
fallait procurer des distractions au général. Il
devait faire des promenades à pied aussi souvent
qu'on pouvait l'en persuader. On ne devait pas
lui permettre plus d'un verre de vin par repas. Il
serait bon de lui rappeler des moments agréables
du passé. Le docteur avait estimé que malgré
l'évidente amélioration de la condition du général
depuis que *Madame* l'avait rejoint, il pourrait
être salutaire de faire venir aussi ce Dobson
auquel le patient faisait de si fréquentes allusions
qu'il avait d'abord cru qu'il s'agissait de son fils.
Il serait nécessaire, bien sûr, de placer sir Hamilton sous surveillance, mais celle-ci serait aussi

discrète que possible. Il était regrettable que, selon les informations personnelles du docteur, rien ne laissât espérer que l'échange proposé pût avoir lieu dans un avenir proche et que le captif anglais pût retourner dans son pays. Il s'avérait malheureusement que la famille et les défenseurs du général de Rauzan avaient déjà échoué plusieurs fois dans leurs tentatives pour convaincre l'entourage de l'Empereur de l'importance militaire de l'officier français.

« Qui est-ce que j'oublie ?

— Vous oubliez Mr. Wood.

— Mr. Wood, je le savais. C'était un gars de Chertsey, n'est-ce pas ?

— J'en suis presque sûre.

— Oui, oui, c'était bien un gars de Chertsey. Un très brave homme, ce Wood. »

D'habitude il se souvenait de Wood. C'était Etheridge qu'il oubliait. Etheridge ou Edmeads. Une fois il s'était oublié lui-même. Il avait les dix autres noms, mais n'arrivait pas à trouver le onzième. Comment cela était-il possible, qu'un homme s'oublie ainsi lui-même ?

Le général s'était levé, un verre vide à la main. « Ma chère, commença-t-il en s'adressant à sa femme mais en regardant Dobson, quand je songe à l'histoire terrible de ce pays, que j'ai visité moi-même pour la première fois en l'an de grâce 1774...

— Le melon, dit sa femme d'un ton léger.

— ... et qui, depuis cette époque, a enduré tant

de souffrances, il y a une certaine conclusion que j'aimerais avancer... »

Non, il fallait empêcher cela. Ce n'était jamais bénéfique. Au début cette réflexion l'avait fait sourire, mais elle menait à la mélancolie, toujours à la mélancolie.

« Voulez-vous un peu plus de ce melon, Hamilton ? demanda-t-elle d'une voix forte.

— ... Il me semble que les événements terribles de cette année terrible, de toutes ces années terribles, qui ont creusé un tel abîme entre nos deux pays, que de tels événements auraient pu être évités, oui, auraient vraiment pu être évités grâce à ce qui, à première vue, peut apparaître comme une simple chimère...

— Hamilton ! » Elle s'était levée à son tour, mais son mari regardait toujours, derrière elle, l'impassible Dobson. « *Hamilton !* » Quand elle vit qu'il ne l'entendait toujours pas, elle prit son propre verre et le jeta sur la terrasse.

Le crissement de violons cessa. Le général tourna enfin les yeux vers sa femme et se rassit timidement. « Ah bah, ma chère, dit-il, ce n'était qu'une idée en l'air. Ce melon est bien mûr, n'est-ce pas ? En reprendrons-nous chacun une tranche ? »

À jamais

Elle les portait sur elle en permanence, dans un petit sac noué à son extrémité. Elle avait percé le plastique avec une fourchette pour que le fragile carton ne se mette à pourrir sous l'effet de la condensation. Elle savait ce qui arrive quand on couvre un pot à fleur où se trouvent quelques jeunes plants : il est vite envahi par une humidité venue de nulle part. Il fallait empêcher cela. Il y avait eu tant d'humidité à l'époque, tant de pluie, de boue piétinée et de chevaux noyés... Elle ne s'en souciait pas pour elle-même, mais pour eux, pour eux tous qui avaient vécu cela.

Il y avait trois cartes postales, les dernières qu'il avait envoyées. Les autres avaient été données à tel ou tel membre de la famille, perdues peut-être, mais elle avait les dernières, son ultime signe de vie. Le jour venu, elle ouvrait le sac et parcourait des yeux les adresses tracées au crayon d'une écriture saccadée, les roides signatures (initiale du prénom et patronyme seulement), les dociles biffures. Elle avait longtemps souffert de

ce que ces cartes ne disaient pas ; mais maintenant elle trouvait qu'il y avait, dans leur impas-
sibilité administrative, quelque chose d'approprié,
sinon de vraiment consolant.

Bien sûr, elle n'avait pas besoin de les regarder
réellement, pas plus qu'elle n'avait besoin de la
photographie pour se rappeler ses yeux noirs, ses
oreilles décollées et ce sourire désinvolte qui
signifiait « Mais oui, cette partie de rigolade sera
finie avant Noël ». À tout moment elle pouvait
se remémorer exactement le contenu des trois
rectangles de carton jaunâtre du service postal
des armées. Les dates : 24 déc., 11 janv., 17 janv.,
écrites de sa propre main et confirmées par le
cachet qui précisait l'année : 16, 17, 17. « Ne rien
écrire sur ce côté excepté la date et la signature
de l'expéditeur. Les phrases non requises peuvent
être rayées. <u>En cas d'ajout quelconque la carte
sera détruite.</u> » Et puis les choix brutaux :

Je vais bien

J'ai été admis à l'hôpital
　　　　{ malade }　　　et me porte bien
　　　　{ blessé　}　　　et espère sortir bientôt

On m'envoie à la base

　　　　　　　　　　　　{ lettre en date du...
J'ai bien reçu votre { télégramme...
　　　　　　　　　　　　{ colis...

Lettre suit dès que possible

Je n'ai reçu aucune lettre de vous
{ dernièrement
{ depuis longtemps

Il allait bien à chaque fois. Il n'avait pas été admis à l'hôpital. On ne l'envoyait pas à la base. Il avait reçu une lettre datée du tant. Une lettre suivrait dès que possible. Il n'avait *pas* « reçu aucune lettre ». Rien que des lignes barrées d'un trait épais au crayon, avec une seule date. Et puis, à côté des mots <u>Signature seulement,</u> les dernières lettres tracées par son frère. S. Moss. Un ample *S* très sinueux suivi d'un petit cercle en guise de point. Puis *Moss* écrit sans lever du carton ce qu'elle imaginait toujours être un minuscule bout de crayon léché d'un air appliqué.

Au verso, le nom de leur mère — Mrs. Moss, avec un *M* majestueux et un petit trait sec sous le *rs* — et l'adresse. Un autre avertissement le long du bord inférieur, en plus petits caractères cette fois. « N'écrire que l'adresse sur ce côté. En cas d'ajout quelconque, la carte sera détruite. » Mais le long du bord supérieur de la deuxième carte, Sammy avait écrit quelque chose, et elle n'avait pas été détruite. Une ligne nette à l'encre, sans les négligentes arabesques de sa signature au crayon : « À <u>50 yds</u> des Allemands. Posté de la tranchée. » Cinquante ans plus tard — un pour chaque yard souligné —, elle ne savait toujours pas pourquoi il avait écrit cela, pourquoi à l'encre, pourquoi on ne l'avait pas censuré. Sam était un garçon prudent et responsable, surtout vis-à-vis de sa mère, et il n'aurait pas pris le risque de provoquer un silence inquiétant. Mais il avait incontestablement écrit ces mots. Et à l'encre en plus. Y avait-il là quelque message caché ? Une prémonition de mort ? Mais Sam n'était pas le genre de personne à avoir des prémonitions. Peut-être était-ce simplement l'excitation, un désir d'impressionner. Voyez comme nous sommes près d'eux. À 50 yds des Allemands. Posté de la tranchée.

Elle était heureuse qu'il fût à Cabaret-Rouge, avec sa propre pierre tombale. Trouvé et identifié. « ... Une sépulture connue et les honneurs rendus... » Elle avait horreur de Thiepval, une horreur qui ne diminuait pas malgré ses consciencieuses visites annuelles. Les âmes perdues de Thiepval. Il était nécessaire de se préparer intérieurement à une telle désolation. C'est pourquoi elle commençait toujours ailleurs, à Caterpillar Valley, Thistle Dump, Quarry, Blighty Valley, Ulster Tower, Herbécourt.

Aucune aube ne point
Aucun soir ne revient
Sans que l'on pense à toi

Cela, c'était à Herbécourt, un enclos muré au milieu des champs, où reposaient environ deux cents d'entre eux, la plupart australiens, mais c'était sur la tombe d'un garçon britannique qu'on pouvait lire cette inscription. Était-ce un vice d'être devenue si experte en chagrin ? C'était pourtant vrai qu'elle avait ses cimetières favoris. Comme Blighty Valley ou Thistle Dump, tous deux à moitié cachés de la route, dans un pli du terrain ; ou Quarry, qui ressemblait à un cimetière abandonné par son village ; ou Devonshire, ce minuscule lopin de terre réservé aux hommes du Devonshire Regiment morts le premier jour de la bataille de la Somme, qui s'étaient battus pour tenir cette crête et la tenaient encore. Vous suiviez des panneaux dont la couleur vert foncé évoquait d'anciennes voitures de course britanniques et traversiez des champs gardés par des christs suppliciés en bois, avant d'atteindre ces sanctuaires d'ordre où rien n'était laissé au hasard. Les stèles étaient alignées comme des dominos posés sur leur tranche ; leurs propriétaires étaient bien là-dessous, corrects et répertoriés, objets d'attentions. Des monuments couleur crème proclamaient : LEUR NOM VIT À JAMAIS[1]. Et il vivait en effet, sur les tombes, dans les livres, dans les cœurs, dans les mémoires.

Chaque année elle se demandait si ce serait sa

1. « THEIR NAME LIVETH FOR EVERMORE. » L'auteur revient plus loin sur EVERMORE. *(N.d.T.)*

dernière visite. Son âge ne lui permettait plus
d'être raisonnablement assurée de pouvoir vivre
encore vingt ans, dix ans, cinq ans. Maintenant
cela était en quelque sorte renouvelé sur une
base annuelle, comme son permis de conduire.
Chaque année en avril le Dr. Holling devait la
déclarer apte à tenir un volant douze mois de
plus. Peut-être la Morris et elle rendraient-elles
l'âme le même jour.

Autrefois elle prenait le train et le bateau,
l'express jusqu'à Amiens, un tortillard local, un
car ou deux. Depuis qu'elle avait la Morris, elle
était théoriquement plus libre ; et pourtant ses
habitudes restaient presque immuables. Elle roulait jusqu'à Douvres, prenait un ferry de nuit et
traversait la Manche dans l'obscurité, en compagnie de robustes routiers. Cela faisait une économie d'argent, et de la sorte elle était toujours en
France au lever du jour. *Aucune aube ne point...*
Il avait dû voir chaque jour se lever en se demandant si ce serait la date qu'on graverait sur sa
tombe... Puis elle suivait la N43 jusqu'à Saint-
Omer, Aire et Lillers, où elle prenait généralement un croissant et un *thé à l'anglaise**. De
Lillers la N43 continuait en direction de Béthune,
mais elle évitait de passer par là : au sud de
Béthune il y avait la D937 qui descendait sur
Arras, et là, dans une ligne droite, à un endroit
où la route faisait un coude caractéristique, se
trouvait le portique à coupole de sir Frank Higginson. Vous ne pouviez passer là sans vous

arrêter, même si vous aviez l'intention de revenir. Elle l'avait fait une fois, peu après son acquisition de la Morris, elle avait dépassé Cabaret-Rouge en seconde, et cela lui avait paru être la plus grossière impolitesse vis-à-vis de Sammy et de ceux qui reposaient près de lui : non, ce n'est pas encore votre tour, attendez un peu, nous viendrons plus tard... Non, c'était là ce que faisaient les autres automobilistes.

Alors elle bifurquait vers le sud à Lillers et rejoignait Arras par la D341. À partir de là, dans ce triangle allongé dont Albert et Péronne constituent les pointes sud, elle entamait sa nécessaire et solennelle visite des bois et des champs dans lesquels, tant d'années auparavant, l'armée britannique avait contre-attaqué pour réduire la pression sur les Français à Verdun. Du moins est-ce ainsi qu'on avait présenté les choses à l'époque. Maintenant les historiens commençaient à avoir des doutes sur la question, mais après tout ils étaient là pour ça. Pour sa part elle n'avait plus d'argument à développer ou de position à défendre. Elle n'accordait plus de valeur qu'à ce qu'elle avait connu à l'époque : une ébauche de stratégie, la certitude du courage, et les réalités du deuil.

Au début l'universalité du chagrin avait été d'un certain secours : épouses, mères, camarades, une multitude d' « huiles », un soldat jouant du clairon dans une légère brume matinale que le pâle soleil de novembre n'est pas parvenu à dissiper... Plus tard, le processus de la mémoire s'était modifié : c'était devenu une affaire de travail, de continuité ; l'anxiété et la gloire avaient fait place à une attitude farouchement déraisonnable aussi bien à l'égard de la mort de Sam que de la commémoration de sa mort. Pendant cette période, elle avait aspiré à la solitude et au voluptueux égoïsme du chagrin : son Sam, son cher disparu, l'objet de son deuil, à nul autre pareil... Elle l'admettait volontiers : il n'y avait pas de honte à ça. Mais maintenant, après un demi-siècle, ses sentiments étaient simplement devenus partie intégrante d'elle-même. Son chagrin la soutenait à la manière d'un indispensable appareil orthopédique ; elle n'imaginait pas de marcher sans lui.

Quand elle en avait fini avec Herbécourt et Devonshire, Thistle Dump et Caterpillar Valley, elle prenait, jamais sans appréhension, le chemin de l'imposant mémorial de brique rouge de Thiepval. Un arc de triomphe, oui, mais quel genre de triomphe, elle se le demandait : le triomphe sur la mort, ou le triomphe *de* la mort ? « Sur ce monument sont gravés les noms des officiers et soldats des Armées britanniques tombés au cours des batailles de la Somme, juillet 1915 — février 1918, mais auxquels la fortune des armes refusa une sépulture connue et les honneurs rendus à leurs camarades dans la mort. » Thiepval Ridge, Pozières Wood, Albert, Morval,

Ginchy, Guillemont, Ancre, Ancre Heights, High
Wood, Delville Wood, Bapaume, Bazentin Ridge,
Miraumont, Transloy Ridges, Flers-Courcelette...
Tant de batailles, dont chacune s'était vu accor-
der une couronne de lauriers en pierre, une
section de mur ; tant et tant de noms, les Disparus
de la Somme, le graffiti officiel de la mort. Ce
monument conçu par sir Edwin Lutyens la révol-
tait, l'avait toujours révoltée. Elle ne pouvait
supporter la pensée de ces hommes perdus, déchi-
rés en fragments méconnaissables, enlisés dans
les champs de boue. Un instant ils étaient bien
là au complet avec leur barda et leurs guêtres,
leur tabac et leurs rations, avec tous leurs souvenirs et leurs espoirs, leur passé et leur avenir, et
l'instant d'après seul subsistait un lambeau de
tissu kaki ou un bout de tibia pour prouver qu'ils
avaient jamais existé. Ou pis encore : certains de
ces hommes avaient d'abord eu une « sépulture
connue et honorée », une parcelle de terre avec
leur nom dessus, mais quelque nouvelle bataille
était survenue et une artillerie aveugle avait ravagé
le cimetière provisoire et provoqué une seconde
et finale extermination. Pourtant chacun de ces
morceaux d'uniforme et de chair — ceux des
morts récents comme les autres, plus ou moins
pourris ou décomposés — avait été apporté ici
et inventorié et on avait enrôlé ces ombres dans
le régiment éternel des disparus, on les avait
équipées et on leur avait fait prendre l'alignement
à droite. Il y avait quelque chose, dans la façon

dont ils avaient disparu et la façon dont ils étaient maintenant récupérés, qu'elle avait le plus grand mal à accepter : tout se passait comme si cette armée qui avait disposé d'eux avec tant de légèreté choisissait à présent de les reprendre et de les honorer avec une égale gravité. Elle n'était pas sûre que ce fût le cas. Elle ne prétendait à aucune compréhension des questions militaires. Tout ce à quoi elle prétendait, c'était une compréhension du chagrin.

Sa réticence vis-à-vis de Thiepval lui faisait toujours lire ce qui était gravé là d'un œil critique de correctrice d'épreuves. Elle remarquait, par exemple, que la traduction française de l'inscription anglaise indiquait — contrairement à cette dernière — le nombre exact de ces disparus. 73 367. C'était pour cela aussi qu'elle n'aimait pas être là, debout sous cet arc qui dominait le petit cimetière anglo-français (les croix françaises à gauche, les stèles britanniques à droite), tandis que le vent arrachait des larmes d'yeux qui se détournaient. 73 367 : au-delà d'un certain point, les nombres devenaient abstraits et perdaient de leur sens. Plus le nombre de morts était élevé, moins la douleur était en rapport avec lui. 73 367 : même elle, si experte en chagrin, ne pouvait imaginer cela.

Peut-être les Britanniques s'étaient-ils rendu compte que le nombre de ces disparus pourrait continuer de croître au fil des ans, qu'aucun total définitif ne pouvait refléter la vérité ; peut-être n'était-ce pas la honte, mais une sorte de raisonnable pudeur qui les avait retenus de spécifier un nombre. Et ils avaient eu raison : ce nombre avait changé en effet. Le monument avait été inauguré en 1932 par le prince de Galles, et les noms de tous les Disparus avaient été gravés sur ses parois, mais ça et là, relégués dans des additifs, figuraient ceux de quelques soldats tirés tardivement de l'oubli. Ces noms-là, elle les connaissait tous à présent : Dodds T., Northumberland Fusiliers ; Malcolm H. W., The Cameronians ; Lennox F.J., Royal Irish Rifles ; Lovell F.H.B., Royal Warwickshire Regiment ; Orr R., Royal Inninskillins ; Forbes R., Cameron Highlanders ; Roberts J., Middlesex Regiment ; Moxham A., Wiltshire Regiment ; Humphries F.J., Middlesex Regiment ; Hughes H. W., Worcestershire Regiment ; Bateman W. T., Northamptonshire Regiment ; Tarling E., The Cameronians ; Richards W., Royal Field Artillery ; Rollins S., East Lancashire Regiment ; Byrne L., Royal Irish Rifles ; Gale E. O., East Yorkshire Regiment ; Walters J., Royal Fusiliers ; Argar D. , Royal Field Artillery. *Aucune aube ne point, aucun soir ne revient...*

C'était de Rollins S. qu'elle se sentait le plus proche, car il avait appartenu à l'East Lancashire Regiment ; elle souriait toujours en voyant les trois initiales dont était affublé le patronyme du soldat Lovell ; mais c'était Malcolm H.W. qui l'intriguait le plus. Malcolm H. W., ou, pour citer l'inscription complète : « Malcolm H.W., The

Cameronians (Sco. Rif.). A servi sous le nom de
Wilson H. » Un additif et un rectificatif à la fois.
Au début elle s'était plu à imaginer son histoire.
Était-il encore trop jeune pour être accepté dans
l'armée ? Avait-il falsifié ainsi son nom pour se
sauver loin de chez lui, pour fuir quelque fille ?
Était-il recherché pour avoir commis quelque
méfait, comme ces hommes qui s'engageaient
dans la Légion étrangère française ? Elle ne voulait pas vraiment le savoir, mais elle aimait songer
un peu à ce garçon qui avait d'abord été privé
de son identité, puis de sa vie. Cette accumulation
de pertes semblait le grandir à ses yeux ; pendant
un certain temps, icône sans visage, il avait menacé
de concurrencer Sammy et Denis en tant que
figure emblématique de la guerre. Mais par la
suite elle avait répudié de telles chimères. Il n'y
avait là aucun mystère en réalité. Le soldat H.
W. Malcolm était devenu H. Wilson. Il s'appelait
très probablement H. Wilson Malcolm, et quand
il s'était porté volontaire quelqu'un s'était trompé
de colonne ; et ensuite on n'avait pas pu le rec-
tifier. Cela paraissait logique : l'homme n'est
qu'une erreur d'écriture corrigée par la mort.

Elle n'avait jamais beaucoup aimé l'inscription
principale en français, au-dessus de l'arc central :

AUX ARMÉES
FRANÇAISE ET
BRITANNIQUE

L'EMPIRE
BRITANNIQUE
RECON-
NAISSANT

Chaque ligne était centrée, ainsi qu'il convenait, mais il y avait vraiment trop d'espace blanc sous l'inscription. Elle aurait écrit là « moins d'# » sur l'épreuve à corriger. Et chaque année la césure qui coupait en deux le mot *reconnaissant* lui déplaisait un peu plus. Il existait certes différentes écoles de pensée sur ce point — elle en avait maintes fois discuté avec ses supérieurs —, mais elle soutenait que couper un mot au milieu d'une consonne double était une absurdité. Vous coupiez un mot là où le mot lui-même était déjà perforé... Regardez ce que cette ganache de militaire, d'architecte ou de sculpteur avait produit : une fracture qui laissait un mot séparé, *naissant,* par erreur. *Naissant* n'avait rien à voir avec *reconnaissant,* rien du tout ; pis encore, il introduisait une idée de naissance là où tout parlait de mort. Elle avait écrit jadis à ce sujet à la War Graves Commission, et on lui avait assuré que tout avait été fait dans les règles. Ils avaient osé lui dire ça, à elle !

Elle ne s'accommodait pas plus du mot EVER-MORE. *Their name liveth for evermore :* ici à Thiepval, et aussi à Cabaret-Rouge, à Caterpillar Valley, dans l'annexe militaire du cimetière de

Combles, et sur tous les principaux monuments commémoratifs. C'était bien sûr la forme correcte, ou du moins la forme la plus courante ; mais quelque chose en elle aurait préféré que ce fût écrit en deux mots. EVER MORE : cela semblait plus grave et solennel ainsi, avec un même son de glas émanant de chaque moitié. De toute façon elle était en désaccord avec le Dictionnaire au sujet d'*evermore*. « Toujours, à tous moments, constamment, continuellement. » Oui, ce mot pouvait signifier cela dans l'omniprésente inscription. Mais elle préférait le sens 1 : « Pour l'éternité. » Leur nom vit pour l'éternité. Aucune aube ne point, aucun soir ne revient, sans que l'on pense à toi. Voilà ce que signifiait cette inscription. Mais le Dictionnaire prétendait que le sens 1 était « *Vx* ou *obs.* ». Vieux ou obsolète. Oh ! non, certainement pas... Et sûrement pas avec une dernière citation aussi récente que 1854. Elle en aurait bien parlé à Mr. Rothwell — ou du moins aurait rédigé au crayon, de sa ronde écriture, une note sur l'épreuve correspondante —, mais cette définition n'était pas révisée, et la lettre E était passée sur son bureau sans qu'elle eût l'occasion de proposer une mise au point.

EVERMORE. Elle se demandait s'il existait vraiment une mémoire collective, c'est-à-dire quelque chose qui serait plus que la somme des mémoires individuelles ; et si oui, était-elle seulement de même durée qu'elles, quoique d'une certaine façon plus riche, ou durait-elle plus longtemps ?

Elle se demandait s'il était possible de donner de la mémoire à ceux qui étaient trop jeunes pour se souvenir réellement, de leur *greffer* de la mémoire. C'était surtout à Thiepval qu'elle pensait à cela. Bien qu'elle détestât cet endroit, quand elle voyait des jeunes couples et leurs enfants se diriger nonchalamment, à travers la pelouse, vers *l'arc de triomphe** de brique rouge, elle sentait poindre en elle une prudente espérance. Les cathédrales chrétiennes pouvaient inspirer une foi religieuse grâce à la conviction dont témoignaient leurs vastes dimensions ; pourquoi alors le mémorial de Lutyens ne susciterait-il pas quelque réaction analogue, au-delà du rationnel ? Peut-être cet enfant récalcitrant, qui pleurnichait à cause de l'étrange nourriture que sa mère sortait d'une boîte en matière plastique, recevrait-il de la mémoire ici. Un tel édifice faisait pressentir à l'esprit le plus neuf l'existence des émotions les plus profondes. Le chagrin et la révérence vivaient ici ; ils pouvaient être respirés, absorbés. Et s'il en était bien ainsi, cet enfant pourrait amener son enfant à son tour, et ainsi de suite, de génération en génération, À JAMAIS. Pas seulement pour compter les Disparus, mais pour comprendre ce qu'éprouvaient ceux pour qui ils étaient disparus et ressentir aussi leur peine — *sa* peine.

Peut-être était-ce une des raisons pour lesquelles elle avait épousé Denis. Évidemment, elle n'aurait jamais dû le faire. Et en un sens elle ne l'avait jamais fait, car il n'y avait pas eu entre eux de vraie relation charnelle : elle réticente, lui incapable. Cela avait duré deux ans, et elle ne pouvait oublier ses yeux pleins d'incompréhension quand elle l'avait rendu à ses sœurs. Tout ce qu'elle pouvait dire pour se justifier, c'est que c'était l'unique fois où elle s'était comportée d'une façon aussi purement égoïste : elle l'avait épousé pour ses propres raisons, et rejeté pour ses propres raisons. Sans doute pourrait-on dire que le reste de son existence avait été égoïste aussi, puisqu'elle l'avait entièrement consacré à ses propres commémorations ; mais c'était un égoïsme qui ne faisait de mal à personne d'autre.

Pauvre Denis. Il avait encore été bel homme à son retour, malgré ses cheveux qui blanchissaient d'un côté et la salive qui coulait en permanence de ses lèvres. Quand les crises venaient, elle s'agenouillait sur sa poitrine et maintenait sa langue vers le bas avec un bout de crayon. Chaque nuit il s'agitait dans son sommeil, gémissait et grondait, se taisait parfois, puis, avec une netteté digne d'un terrain de manœuvres, criait *Hip ! hip ! hip !* Quand elle le réveillait, il ne pouvait jamais se rappeler ce qui s'était passé. Il souffrait d'un sentiment de culpabilité, mais ne se souvenait pas au juste de ce dont il se sentait coupable. *Elle* savait : Denis avait été touché par un shrapnel et évacué vers un hôpital sans avoir pu dire adieu à son meilleur ami Jewy[1] Moss, lequel avait été tué au cours des bombardements boches du lendemain. Après deux années de ce mariage, deux années passées à regarder Denis brosser vigoureusement sa touffe de cheveux blancs dans l'espoir de la faire partir, elle l'avait rendu à ses sœurs. Dorénavant, leur avait-elle dit, elles devraient s'occuper de Denis, et elle-même s'occuperait de Sam. Elles l'avaient regardée en silence, stupéfaites. Derrière elles, debout dans le vestibule, Denis, avec son menton humide et ses yeux bruns qui ne comprenaient toujours pas, avait un air de patience embarrassée qui suggérait que ce dernier événement n'avait rien de spécial en lui-même, que c'était simplement une de ces nombreuses choses qu'il n'arrivait pas à appréhender et qu'il y en aurait sûrement beaucoup d'autres, tout le reste de son existence, qui lui échapperaient aussi.

Elle avait pris cet emploi de correctrice un mois plus tard. Elle travaillait seule dans un sous-sol humide, assise à un bureau sur lequel s'enroulaient de longues feuilles d'épreuves. La condensation embuait la fenêtre. Elle était armée d'une lampe de table en cuivre et d'un crayon qu'elle taillait jusqu'à ce qu'il fût trop court pour tenir dans la main. Son écriture était ample et sinueuse, un peu comme celle de Sammy. Elle

---

1. Surnom familier donné à un Juif. *(N.d.T.)*

biffait et ajoutait, comme il l'avait fait sur ses
cartes postales de l'armée. <u>Ne rien écrire sur ce
côté de l'épreuve. En cas d'ajout quelconque
l'épreuve sera détruite.</u> Non, elle n'avait rien à
craindre ; elle pouvait tracer ses signes en toute
impunité. Elle repérait des deux-points qui étaient
en italique au lieu d'être droits, des crochets là
où il aurait dû y avoir des parenthèses, des abré-
viations fantaisistes, des renvois trompeurs. Il lui
arrivait de faire des suggestions, de noter par
exemple, toujours au crayon et de sa ronde écriture, que tel ou tel mot était, selon elle, vulgaire
plutôt que familier, ou le sens de telle expression,
figuré plutôt que métaphorique. Elle passait
ensuite ses épreuves à Mr. Rothwell, le coré-
dacteur adjoint, mais ne cherchait jamais à savoir
si on avait tenu compte de ses annotations.
Mr. Rothwell, un homme barbu, taciturne et
paisible, appréciait sa méticulosité, sa bonne maî-
trise des conventions du Dictionnaire, et la bonne
volonté avec laquelle elle emportait du travail à
la maison quand un fascicule était prêt pour
l'impression. Il remarquait, et faisait parfois remarquer aux autres, qu'elle avait une attitude étrangement chicaneuse à l'égard des termes qualifiés
d'*obsolètes*. Elle proposait souvent *? Obs.* au lieu
de *Obs.* Peut-être est-ce une question d'âge, pensait Mr. Rothwell ; les jeunes acceptent sans doute
plus volontiers qu'un mot ait fait son temps...

En réalité Mr. Rothwell n'avait que cinq ans
de moins qu'elle ; mais Miss Moss — car elle était

redevenue Miss Moss depuis qu'elle avait congé-
dié Denis — avait vieilli rapidement, presque
délibérément. Les années passaient et elle prenait
de l'embonpoint, ses cheveux s'échappaient un
peu plus folâtrement de ses épingles, et ses verres
de lunettes devenaient plus épais. Ses bas avaient
un aspect opaque et démodé, et elle ne portait
jamais son imperméable au pressing. Les lexico-
graphes plus jeunes qui entraient dans son bureau,
où un certain nombre de vieux dossiers étaient
conservés, se demandaient si la légère odeur
de clapier qu'ils sentaient venait des murs, des
épreuves de l'ancien Dictionnaire, de l'imperméable de Miss Moss, ou de Miss Moss elle-
même. Rien de tout cela n'avait d'importance
pour Mr. Rothwell, qui ne voyait que la précision
de son travail. Bien qu'elle eût droit à un congé
annuel de quinze jours ouvrables, elle ne prenait
jamais plus d'une semaine.

Au début, les dates de ce congé avaient toujours inclus la onzième heure du onzième jour du
onzième mois. Mr. Rothwell avait eu le tact de
ne pas poser de questions. Par la suite, cependant,
elle avait pris sa semaine à d'autres moments de
l'année, à la fin du printemps ou au début de
l'automne. Quand ses parents étaient morts et
qu'elle avait hérité d'une modeste somme d'argent, elle avait surpris Mr. Rothwell en arrivant
au travail un jour au volant d'une petite Morris
grise pourvue de sièges de cuir rouge. Celle-ci
arborait un badge de l'*Automobile Association* à

l'avant et une plaque métallique « GB » à l'arrière. À l'âge de cinquante-trois ans elle avait passé son permis du premier coup, et manœuvrait sa voiture avec une impétueuse précision qui ne manquait pas d'allure.

Elle dormait toujours dans la voiture. Cela faisait une économie, mais surtout cela lui permettait de se retrouver seule avec elle-même et Sam. Les habitants des villages situés dans ce triangle allongé au sud d'Arras s'étaient habitués à voir cette auto britannique plus très jeune, couleur de bronze à canon, arrêtée près de leur monument aux morts ; à l'intérieur, une dame d'un certain âge enveloppée dans une couverture de voyage dormait sur le siège du passager. Elle ne verrouillait jamais les portières la nuit, car il lui semblait qu'il eût été impertinent, voire irrespectueux de sa part d'éprouver une peur quelconque. Elle dormait pendant que les villages eux-mêmes dormaient, et c'était souvent quelque vache trempée, rentrant à l'étable pour la traite, qui la réveillait en frôlant au passage une aile de la Morris garée au bord du chemin. Parfois un villageois lui offrait l'hospitalité, mais elle préférait ne pas l'accepter. Son comportement n'était pas considéré comme étrange, et dans les cafés de la région on lui servait son *thé à l'anglaise** sans qu'elle eût besoin de le demander.

Quand elle en avait fini avec Thiepval, avec Thistle Dump et Caterpillar Valley, elle remontait sur Arras et prenait la D937 en direction de

Béthune. Plus loin se trouvaient Vimy, Cabaret-Rouge, Notre-Dame de Lorette, mais il y avait toujours une autre visite à effectuer d'abord : à Maison-Blanche. La plupart de ces lieux avaient des noms si paisibles... Mais ici à Maison-Blanche reposaient 40 000 Allemands, 40 000 fritz étendus sous leurs fines croix noires, un endroit d'aspect aussi ordonné qu'on pouvait s'y attendre de la part de fridolins, quoique pas aussi beau que les cimetières britanniques. Elle s'y attardait en lisant quelques noms au hasard et en se demandant vaguement, quand elle trouvait une date légèrement postérieure au 21 janvier 1917, s'il était possible que ce fût le fritz qui avait tué son Sammy. Était-ce l'homme qui avait appuyé sur la détente, alimenté la mitrailleuse, ou qui s'était bouché les oreilles tandis que l'obusier tonnait ? Et voyez comme il lui avait survécu de peu : deux jours, une semaine, un mois de plus dans la boue avant d'être aligné lui aussi dans la mort sur d'autres « sépultures connues », tourné une fois de plus vers son Sammy, quoiqu'ils ne fussent plus séparés par des barbelés et 50 yds. mais par quelques kilomètres d'asphalte.

Elle ne ressentait aucune rancœur à l'égard de ces fritz ; après toutes ces années elle n'éprouvait plus de colère envers l'homme, le régiment, l'armée teutonne, la nation qui avaient pris la vie de Sam. Son ressentiment était dirigé contre ceux qui étaient venus plus tard, et qu'elle refusait d'honorer du nom somme toute amical de « fritz ».

Elle haïssait la guerre d'Hitler, lui reprochant d'avoir affaibli le souvenir de la Grande Guerre, d'avoir assigné à celle-ci un numéro, la réduisant à n'être que la première de deux conflagrations mondiales. Et elle haïssait cette façon qu'on avait de tenir la Grande Guerre pour responsable de celle qui l'avait suivie, comme si Sam, Denis et tous les autres soldats de l'East Lancashire Regiment morts au combat étaient en partie la cause de ce nouveau drame. Sam avait fait ce qu'il avait pu — il avait servi et péri — et ne méritait pas d'être relégué aussi rapidement à l'arrière-plan du souvenir. Le temps ne se comportait pas d'une façon rationnelle. Cinquante ans plus tôt, la Somme ; cent ans avant cela, Waterloo ; encore quatre siècles plus tôt, Agincourt, ou Azincourt comme les Français préféraient dire. Pourtant ces intervalles semblaient maintenant s'être resserrés. Elle en rejetait la faute sur 39-45.

Elle avait appris à éviter ces lieux en France où la seconde guerre avait sévi, ou du moins, où le souvenir en était encore vivant. Dans les années qui avaient suivi son acquisition de la Morris, elle avait commis l'erreur de s'imaginer en vacances, de se conduire en touriste. Elle s'arrêtait par exemple insouciamment sur quelque aire de stationnement, ou flânait le long d'un chemin ou d'une ruelle dans quelque coin tranquille accablé de chaleur, lorsqu'une plaque bien nette sertie dans un mur sec lui sautait agressivement aux yeux. Elle commémorait la mort de *Monsieur Un*

Tel, lâchement assassiné par les Allemands*, ou *tué**, ou *fusillé**, des mots suivis d'une insultante date contemporaine : 1943, 1944, 1945. Elles bouchaient la vue, ces morts et ces dates ; elles exigeaient de l'attention par ce qu'elles avaient de récent. Elle refusait, elle refusait...

Quand elle se heurtait ainsi à la réalité de la seconde guerre, elle allait bien vite se consoler dans le village le plus proche. Elle savait toujours où chercher : près de l'église, de la *mairie**, de la gare ; à un embranchement de la route ; sur une place poussiéreuse agrémentée de tilleuls cruellement étêtés et de quelques tables de café rouillées. Là elle trouvait son monument aux morts taché d'humidité, avec son héroïque *poilu**, sa veuve éplorée, sa triomphante Marianne, son coq belliqueux. Non que l'histoire qu'elle lisait sur le socle eût besoin d'une illustration sculpturale. 67 pour la première guerre contre 9 pour la seconde, 83 contre 12, 40 contre 5, 27 contre 2 : là se trouvait l'éternelle corroboration qu'elle cherchait, la rectification historique. Elle touchait les noms gravés dans la pierre ; leur dorure avait disparu du côté exposé aux intempéries. Oui, c'étaient là des nombres dont les proportions familières proclamaient la terrible suprématie de la Grande Guerre. Elle parcourait lentement des yeux la plus longue liste, s'arrêtant sur un nom répété deux, trois, quatre, cinq, six fois : presque tous les hommes d'une même famille emportés dans la même tourmente. « Une sépulture connue et les honneurs rendus... » Elle trouvait, dans les austères statistiques de la mort, le réconfort dont elle avait besoin.

Elle passait la dernière nuit à Aix-Noulette (101 contre 7) ; à Souchez (48 contre 6), où elle se souvenait de Plouvier Maxime, sergent, tué le 17 décembre 1916, le dernier de son village à avoir trouvé la mort avant son Sam ; à Carency (19 contre 1) ; ou à Ablain-Saint-Nazaire (66 contre 9), dont huit des Lherbier mâles avaient péri, quatre au *champ d'honneur**, trois en tant que *victimes civiles**, et un en tant que *civil fusillé par l'ennemi**. Puis, le lendemain matin, lourde de chagrin, elle prenait le chemin de Cabaret-Rouge, alors que l'herbe était encore couverte de rosée. La solitude et les genoux humides avaient quelque chose de consolant. Elle ne parlait plus à Sam ; tout avait été dit bien des années plus tôt. Le cœur s'était exprimé, les excuses avaient été faites, les secrets avoués. Elle ne pleurait plus non plus ; cela aussi avait cessé. Mais les heures qu'elle passait avec lui à Cabaret-Rouge étaient les plus importantes de sa vie. Elles l'avaient toujours été.

La D937 décrivait sa courbe à Cabaret-Rouge pour vous rappeler de ralentir respectueusement et attirer votre attention sur le beau portique à coupole du général Frank Higginson, qui servait à la fois de portail et de monument commémoratif. Au-delà, le terrain du cimetière descendait d'abord, puis remontait vers la grande croix qui portait non le Christ, mais un sabre de métal. Symétrique, avec une allure d'amphithéâtre, Caba-ret-Rouge contenait 6 676 soldats, marins, fusi-liers marins et aviateurs britanniques ; 732 Cana-diens ; 121 Australiens ; 42 Sud-Africains ; 7 Néo-Zélandais ; 2 membres de la Compagnie royale d'infanterie légère de Guernesey ; 1 Indien ; 1 membre d'une unité inconnue ; et 4 Alle-mands.

Il contenait aussi, ou plutôt on y avait naguère dispersé, les cendres de sir Frank Higginson, secrétaire de l'Imperial War Graves Commission, mort en 1958 à l'âge de soixante-huit ans. Ce qui témoignait d'une vraie loyauté et d'une belle fidélité dans le souvenir. Sa veuve, lady Violet Lindsley Higginson, était morte quatre ans plus tard, et ses cendres avaient également été disper-sées là. Bienheureuse lady Higginson. Pourquoi la femme d'un général qui, quoi qu'il eût fait pendant la Grande Guerre, n'était pas mort au combat, avait-elle droit à un sort posthume aussi enviable et honorable, alors qu'on refusait un tel réconfort à la sœur d'un de ces soldats auxquels la fortune des armes avait accordé « une sépul-ture connue et les honneurs rendus à ses cama-rades dans la mort » ? La Commission avait par deux fois rejeté sa demande, en expliquant qu'un cimetière militaire ne recevait pas de cendres civiles. La troisième fois ils avaient été moins polis et l'avaient sèchement renvoyée à leur cor-respondance antérieure.

Il y avait eu des incidents au cours de toutes ces années. Ils l'avaient empêchée de venir pour la onzième heure du onzième jour du onzième mois en lui refusant la permission de dormir la nuit précédente près de sa tombe. Ils avaient dit qu'ils ne disposaient pas d'installations de camping ; ils avaient affecté de la comprendre, « mais où irait-on si tout le monde voulait faire la même chose ? ». Elle avait répondu qu'il était bien évident que personne d'autre ne voulait faire la même chose, mais que si quelqu'un en exprimait le désir, celui-ci devait être respecté. Cependant, au bout de quelques années la cérémonie officielle ne lui avait plus manqué : il lui semblait qu'il n'y avait là que des gens qui se souvenaient d'une façon incorrecte et impure.

Il y avait eu des problèmes avec les plantes. Le gazon du cimetière était du gazon français, et, lui semblait-il, de l'espèce la plus grossière, qui ne convenait pas à un lieu où reposaient des soldats britanniques. Les lettres qu'elle avait écrites à la Commission à ce sujet étaient restées sans effet. Alors, un printemps, elle avait emporté une petite pelle et un mètre carré de gazon anglais conservé dans un état d'humidité à l'intérieur d'un sac en plastique. Une fois la nuit venue elle avait enlevé à la pelle l'odieux gazon français et mis en place le fin gazon anglais en le tapotant d'abord avec la main, puis en tapant du pied dessus pour le fixer. Elle était satisfaite de son travail, et quand, l'année suivante, elle s'approcha de la tombe, elle vit que rien ne trahissait son rapiéçage végétal. Mais quand elle s'agenouilla, elle s'aperçut que son travail avait été défait : le gazon français était revenu. La même chose s'était produite quand elle avait subrepticement planté ses bulbes. Sam aimait les tulipes, tout particulièrement les jaunes, et un automne elle avait enfoui dans la terre une demi-douzaine de bulbes. Mais quand elle était revenue au printemps suivant, elle n'avait vu que des géraniums poussiéreux devant sa pierre tombale.

Il y avait aussi eu la profanation. Cela ne datait pas de très longtemps. Arrivant peu après le lever du jour, elle avait trouvé sur le gazon quelque chose qu'elle avait d'abord attribué à l'inconscience d'un chien. Mais quand elle avait vu la même chose devant la tombe de *1685 Private W.A. Andrade 4th Bn. London Regt. R. Fus. 15th March 1915* et devant celle de *675 Private Leon Emanuel Levy The Cameronians (Sco. Rif.) 16 August 1916 aged 21 And the Soul Returneth to God Who Gave It — Mother* [1], elle s'était dit qu'il était fort peu probable qu'un chien, ou trois chiens, eussent réussi à dénicher les trois seules tombes juives du cimetière. Elle avait adressé au gardien quelques mots bien sentis. Il avait reconnu que de telles profanations s'étaient déjà produites... on s'était aussi servi de peinture en bombe...

---

1. « Et l'âme retourne à Dieu qui l'a donnée — Maman. » *(N.d.T.)*

mais il essayait toujours d'arriver avant tout le monde pour effacer les traces. Elle lui avait répondu qu'il était peut-être de bonne foi, mais qu'il était manifestement peu vigilant. Elle avait incriminé la seconde guerre. Elle avait essayé de ne plus y penser.

Pour elle, maintenant, quand elle regardait en arrière, jusqu'en 1917, rien n'encombrait plus cette vue : toutes ces décennies étaient semblables à une étendue d'herbe coupée au fond de laquelle se dressait une rangée de stèles blanches aussi fines que des dominos. *1358 Private Samuel M. Moss East Lancashire Regt. 21st January 1917,* et au centre l'étoile de David. Certaines tombes à Cabaret-Rouge étaient anonymes, dépourvues de tout mot ou symbole distinctif ; d'autres portaient des inscriptions, des insignes de régiment, des harpes irlandaises, des springboks, des feuilles d'érable, des fougères de Nouvelle-Zélande. La plupart portaient des croix chrétiennes ; trois seulement l'étoile de David. Celles du soldat Andrade, du soldat Levy et du soldat Moss. Un soldat britannique enterré sous l'étoile de David : elle s'en tenait à cette idée. Sam lui avait écrit du camp d'entraînement que ses copains le taquinaient à ce sujet, mais il avait toujours été Jewy Moss à l'école, et c'étaient de braves gars dans l'ensemble, aussi braves à l'intérieur de la caserne qu'à l'extérieur en tout cas. Les remarques qu'ils faisaient, il les avait déjà entendues, mais Jewy Moss était un soldat britannique, assez bon pour combattre et mourir avec ses camarades, et c'était ce qu'il avait fait, et ce pour quoi on honorait sa mémoire. Elle ne voulait pas penser à l'autre guerre, qui embrouillait les choses. Sam était un soldat britannique, East Lancashire Regiment, enterré à Cabaret-Rouge sous l'étoile de David.

Elle se demandait quand ils en referaient des champs comme les autres — des Herbécourt, Devonshire, Quarry, Blighty Valley, Ulster Tower, Thistle Dump et Caterpillar Valley, Maison-Blanche et Cabaret-Rouge. Ils disaient qu'ils ne le feraient jamais. Cette terre, lisait-elle partout, était un « don du peuple français pour que reposent toujours en paix les soldats des armées alliées tombés... » et ainsi de suite. EVERMORE, disaient-ils, et elle voulait entendre : à jamais. La War Graves Commission, les membres du Parlement auxquels elle avait eu affaire, le Foreign Office, le colonel du régiment de Sammy, lui avaient tous dit la même chose. Elle ne les croyait pas. Bientôt — dans une cinquantaine d'années — tous ceux qui avaient servi pendant la Grande Guerre seraient morts ; puis viendrait le jour où tous ceux qui avaient connu quelqu'un qui avait servi à l'époque seraient morts aussi. Que se passerait-il si la greffe de mémoire ne prenait pas, ou si les souvenirs eux-mêmes étaient jugés honteux ? D'abord, supposait-elle, ces petites plaques commémoratives le long des chemins et des ruelles seraient retirées, puisque les Français et les

Allemands avaient officiellement cessé de se haïr quelques années plus tôt et qu'on ne voudrait pas avoir l'air d'accuser les touristes allemands des lâches assassinats perpétrés par leurs aïeux. Puis les monuments aux morts disparaîtraient aussi, avec leurs importantes statistiques. Peut-être reconnaîtrait-on à certains d'entre eux quelque intérêt architectural, mais une nouvelle génération les trouverait morbides et imaginerait des choses plus attrayantes pour égayer les villages. Et après cela le temps serait venu de labourer les champs des morts, de les rendre à leur vocation agricole : ils étaient restés trop longtemps en friche. Les prêtres et les hommes politiques donneraient leur bénédiction, et les fermiers récupéreraient leur terre, fertilisée avec du sang et des os. Thiepval deviendrait peut-être un monument classé, mais conserveraient-ils le portique à coupole de sir Frank Higginson ? Ce coude de la D937 serait déclaré dangereux pour la circulation ; il suffirait qu'un ivrogne se tue là pour que la route soit redressée après toutes ces années. Alors pourrait commencer le grand oubli, et les vestiges du passé se fondraient peu à peu dans le paysage. Ne resteraient finalement de la guerre que deux ou trois musées, quelques tranchées à visiter et quelques noms, qui parleraient tous à leur manière de sacrifice inutile.

La flamme du souvenir pourrait-elle resplendir une dernière fois ? En ce qui la concernait, il ne se passerait guère de temps avant que ses com-

mémorations annuelles prissent fin, avant que
l'erreur d'écriture de sa vie fût corrigée ; pourtant, alors même qu'elle se jugeait déjà vieille,
ses souvenirs semblaient devenir plus vifs. Si cela
arrivait à l'individu, n'était-il pas possible que
cela se produise aussi à l'échelle nationale ? Ne
pourrait-il pas y avoir, à un moment ou à un
autre, dans les premières décennies du xxie siècle, un ultime embrasement dans le soleil cou-
chant, avant que toute cette affaire ne soit remise
entre les mains des archivistes ? Ne se pourrait-
il pas que des peuples entiers se retournent une
dernière fois pour contempler l'herbe coupée des
décennies passées et qu'une percée dans les arbres
leur laisse entrevoir les rangées incurvées de fines
pierres tombales, de stèles blanches offrant aux
regards leurs noms étincelants et leurs dates ter-
rifiantes, leurs harpes et leurs springboks, leurs
feuilles d'érable et leurs fougères, leurs croix
chrétiennes et leurs étoiles de David ? Alors, en
l'espace d'un humide battement de paupières, la
percée dans les arbres se refermerait et l'herbe
coupée disparaîtrait, un sombre nuage indigo
couvrirait le soleil, et l'histoire, l'histoire fruste,
l'histoire quotidienne, oublierait. Est-ce ainsi que
cela se passerait ?

Gnossienne

Permettez-moi de préciser tout d'abord que je n'assiste jamais aux colloques littéraires. Je sais qu'ils se tiennent dans des hôtels « art déco » situés près de musées prestigieux ; que les séances sur l'avenir du roman y sont menées avec *kameradschaft, brio* et *bonhomie* ;* que les amitiés qu'on y contracte en quelques heures sont toujours durables ; et qu'après votre journée de travail vous pouvez éventuellement savourer des boissons fortement alcoolisées, des drogues douces et une bonne petite dose de sexe. On dit que les chauffeurs de taxi de Francfort n'aiment pas le Salon du livre annuel parce que les membres de la profession littéraire, au lieu de se faire conduire chez les prostituées comme les respectables membres d'autres corporations réunies en congrès, préfèrent rester dans leurs hôtels et baiser entre eux. Je sais aussi que ces colloques littéraires se tiennent dans des bâtiments construits par la mafia, dont la climatisation charrie les germes de la typhoïde, du tétanos et de la diphtérie ; que les organisateurs sont des snobs internationaux qui s'intéressent surtout aux déductions fiscales ; que les participants guignent le billet d'avion gratuit et l'occasion d'ennuyer leurs rivaux en plusieurs langues différentes à la fois ; que dans la prétendue démocratie de l'art chacun reconnaît, et accepte donc mal, la place qu'il occupe dans la vraie hiérarchie ; et que pas un seul romancier, poète, essayiste ou même journaliste n'est jamais sorti de cet hôtel mafieux meilleur écrivain que quand il ou elle y était entré(e). Je me contente de « savoir » tout ceci, comme je dis, parce que je n'ai jamais assisté au moindre colloque littéraire.

Mes réponses sont envoyées sur des cartes postales où ne figure aucune adresse personnelle : « Désolé, impossible » ; « Je ne participe à aucune conférence » ; « Serai malheureusement en Bulgarie » ; et ainsi de suite. La mise au point du début de mes réponses aux invitations françaises a exigé quelques années de tâtonnements. Finalement c'est devenu : « *Je regrette que je ne suis conférencier ni de tempérament ni d'aptitude**... » J'étais assez satisfait de cette formule : si j'invoquais simplement mon incompétence, on pouvait y voir un effet de ma modestie, tandis que si j'invoquais seulement une incompatibilité psychologique, les conditions pouvaient être améliorées jusqu'à ce qu'il me fût trop difficile de refuser. De cette façon je m'étais rendu invulnérable à toute tentative de relance.

Ce fut le côté purement « amateur » de l'invitation à Marrant qui me fit la lire une seconde fois. Quoique le mot *amateur* ne soit peut-être pas très juste — plutôt *démodé* comme si cela venait d'un monde disparu. Il n'y avait aucun sceau municipal, aucune promesse de séjour en hôtel cinq étoiles, aucun programme destiné à des zélateurs sadomasochistes de la théorie littéraire. Aucun en-tête non plus, et bien que la signature parût originale, le texte qui la précédait avait cet aspect un peu décoloré, flou et violacé qui évoque les anciennes Ronéo ou le papier carbone d'avant-guerre. Certains caractères de la machine à écrire qui avait servi à taper ce texte (manifestement une de ces antiques machines aux touches démesurément hautes enfoncées d'un seul doigt) étaient fêlés. Je remarquai tout ceci, mais ce que je remarquai le plus — ce qui me fit me demander fugitivement si je ne pourrais pas, pour une fois, avoir le tempérament et l'aptitude —, ce fut la phrase qui figurait, isolée, au-dessus de la signature. Le texte principal expliquait que le colloque aurait lieu dans un certain petit village du Massif Central, un certain jour d'octobre. Je serais le bienvenu, mais je n'étais pas tenu de répondre ; je n'aurais qu'à arriver par un des trois trains indiqués au verso. Puis venait la déclaration d'intention, obscure, fantasque, séduisante : « L'essentiel en l'occurrence est d'être accueilli à la gare : présence vaut contribution. »

Je relus la lettre encore une fois. Non, on ne me demandait pas de faire un exposé, de participer à un débat, de me tracasser au sujet de l'Avenir du Roman. On ne me flattait pas en joignant une liste impressionnante d'autres *conférenciers**. On ne m'offrait ni billet d'avion, ni séjour gratuit à l'hôtel, encore moins une quelconque rémunération. Je déchiffrai, sourcils froncés, la signature toute en boucles — le nom n'était pas tapé à la machine. Ce dernier avait un je-ne-sais-quoi de familier, que je finis par rapprocher, ainsi d'ailleurs que la désinvolte et impertinente familiarité de l'invitation elle-même, d'une certaine tradition littéraire française : Jarry, la pataphysique, Queneau, Perec, le groupe OULIPO, etc. Les marginaux officiels, les rebelles honorés... Jean-Luc Cazes, oui, il faisait sûrement partie de cette joyeuse bande. Un peu surprenant qu'il fût encore vivant. Quelle était cette définition de la pataphysique déjà ? « La science des solutions imaginaires. » Et l'essentiel en l'occurrence était d'être accueilli à la gare...

Je n'étais pas tenu de donner une réponse : voilà, je pense, ce qui me plaisait le plus dans cette histoire. Je n'avais pas à dire si j'irais ou non. C'est ainsi que la lettre fut perdue puis redécouverte parmi ce fatras de factures, de reçus, d'invitations et de formulaires de déclaration de la T.V.A., d'épreuves, de lettres de quémandeurs

et d'imprimés P.L.R. [1], qui encombre généralement mon bureau. Un après-midi je sortis la carte
Michelin jaune appropriée : n° 76. Je repérai
Marrant-sur-Cère, à trente ou quarante kilomètres d'Aurillac. La ligne de chemin de fer venant
de Clermont-Ferrand passait par ce village, dont
le nom, remarquai-je, n'était pas souligné en
rouge. Donc il n'était pas répertorié dans le guide
Michelin. Je vérifiai quand même, au cas où ma
carte jaune n'aurait pas été à jour, mais non, rien,
et rien non plus dans mon *Logis de France*. Où
me logerait-on ? Ce n'était pas une partie du
Cantal que je connaissais bien. Je regardai la
carte pendant quelques minutes, en la lisant
comme un livre d'images en relief : colline abrupte,
point de vue*, sentier de randonneurs, *maison
forestière**. J'imaginai des châtaigneraies, des
chiens dénicheurs de truffes, des clairières où on
fabriquait jadis du charbon de bois. Des petites
vaches couleur acajou dansaient la jigue sur les
pentes de volcans éteints au son des cornemuses
locales. J'imaginai tout cela, parce qu'en réalité
mes souvenirs du Cantal se réduisaient à deux
choses : le fromage et la pluie.

L'automne anglais frémit sous le premier assaut
glacé de l'hiver ; déjà les feuilles mortes se sau-
poudraient de givre. Je pris l'avion pour Clermont-
Ferrand et passai la nuit à l'hôtel Albert-Elisa-

---

1. *Public lending rights :* droits sur le prêt d'ouvrages en
bibliothèque. *(N.d.T.)*

beth *(sans restaurant*)*. Le lendemain matin, à la gare, je fis ce qu'on m'avait suggéré de faire : j'achetai un billet pour Vic-sur-Cère sans dire à l'employé que ma véritable destination était Marrant. Certains trains — les trois mentionnés sur mon invitation — s'arrêtaient bien à Marrant, mais ils ne le faisaient qu'exceptionnellement, et par arrangement personnel avec certains individus travaillant pour la compagnie. Cette touche de mystère me plut : je ressentis une jubilation d'espion quand je vis que le tableau des départs ne signalait aucun arrêt intermédiaire entre Murat et Vic-sur-Cère. Je n'avais qu'un bagage à main de toute façon : le train ralentirait comme pour un arrêt de routine à quelque feu rouge, s'immobiliserait en soufflant dans un grincement d'essieux, et à cet instant je descendrais en douce et refermerais discrètement la portière derrière moi. Si quelqu'un me voit sortir, pensai-je, il supposera que je suis un employé de la S.N.C.F. auquel le conducteur rend un petit service.

J'avais imaginé quelque train français à l'ancienne mode, l'équivalent ferroviaire de l'invitation ronéotypée, mais je me retrouvai dans un élégant engin composé de quatre voitures, dont les portières étaient actionnées par le conducteur. Je modifiai ma tactique en conséquence : je me lèverais de mon siège après l'arrêt à Murat, me tiendrais mine de rien près de la portière, attendrais le *humff !* complice de l'air comprimé qui se détend, et aurais quitté le quai avant que les

autres passagers n'eussent remarqué mon absence.
Je réussis sans peine la première partie de la
manœuvre ; ostensiblement désinvolte, je ne regardai même pas à l'extérieur lorsque se produisit
enfin la décélération prévue. Le train s'arrêta, les
portières s'ouvrirent et je descendis. À ma grande
surprise, je fus alors poussé et bousculé par ce
que je supposai naturellement être d'autres *conférenciers** alors qu'il s'agissait en fait de deux
femmes coiffées d'un foulard, aux hanches larges
et au teint rubicond de montagnardes, qu'on
imaginait plutôt en train de vendre douze œufs
et un lapin écorché derrière une table à tréteaux
qu'en train de signer des exemplaires de leur
dernier roman. Ma seconde surprise fut de lire
les mots VIC-SUR-CÈRE. Merde ! J'avais dû rêver
— ma gare devait se trouver après Vic, et non
avant. Je me glissai vite entre les portières qui
se refermaient avec le même *humff* et sortis mon
invitation de ma poche. Merde encore ! J'avais
eu raison, c'était bien avant. Et tant pis pour les
« arrangements personnels avec certains individus »... Le foutu conducteur avait dépassé Marrant sans s'arrêter ; manifestement aucun goût
pour la littérature, ce type. Je jurais, et pourtant
j'étais d'humeur remarquablement enjouée.

À Aurillac je louai une voiture et pris la N126
afin de remonter la vallée de la Cère. Je traversai
Vic et commençai à chercher des yeux sur la
droite une route départementale menant à Marrant. Le temps se couvrait — un fait que je notai

avec une bienveillante équanimité. D'ordinaire je supporte mal les emmerdements : je trouve que j'ai assez de problèmes quand je suis à mon bureau pour que d'autres s'y ajoutent encore dans tous les aspects contingents de la vie littéraire. Le micro qui tombe en panne lors d'une lecture en public ; le magnétophone qui efface au lieu d'enregistrer ; le journaliste aux questions duquel une vie entière ne suffirait pas à répondre. J'ai donné une interview une fois, pour une radio française, dans un hôtel parisien. L'ingénieur du son procéda à un essai, puis il appuya sur un bouton et, tandis que les bobines commençaient à tourner, l'interviewer entreprit de raser mon menton avec son micro. « *Monsieur* Clements, me demanda-t-il avec une sorte de familière autorité, *le mythe et la réalité** ? » Je le regardai fixement pendant un bon moment, tout en sentant mon français s'évaporer et mon cerveau se dessécher. Finalement je fis la seule réponse que j'étais capable de faire, à savoir que de telles questions et leurs réponses appropriées venaient sans aucun doute naturellement aux intellectuels français, mais que puisque je n'étais qu'un romancier anglais pragmatique, il obtiendrait peut-être de moi une meilleure interview s'il abordait d'aussi vastes problèmes par le biais de sujets plus modestes et légers. Cela m'aiderait aussi, expliquai-je, à me mettre en train en pratiquant mon français. Il sourit d'un air compréhensif, l'ingénieur du son rembobina la bande, et le micro fut de nouveau placé sous mon menton, comme ces coupes jadis destinées à recevoir les larmes, pour recueillir mes gouttes de sagesse. « *Monsieur* Clements, nous sommes installés ici dans votre chambre d'hôtel à Paris par un après-midi d'avril. La fenêtre est ouverte, et dehors se déroule la vie quotidienne de la cité. En face de la fenêtre il y a une armoire à glace. Je regarde dans la glace de l'armoire et je peux presque y voir réfléchie la vie quotidienne de Paris qui se déroule à l'extérieur. *Monsieur* Clements, *le mythe et la réalité* ?* »

La route départementale monta brusquement vers une masse compacte de brume haute ou de nuages bas. J'actionnai mes essuie-glace, allumai mes phares et le feu antibrouillard, baissai un peu la vitre et émis un petit rire. Quelle idée absurde de chercher à échapper à un automne anglais en venant dans une des régions les plus humides de France : comme l'Américain qui avait vu venir la Seconde Guerre mondiale et était parti s'installer à Guadalcanal... La visibilité n'excédait pas quelques mètres, la route était étroite et le côté droit basculait dans l'inconnu. Je crus entendre un tintement de clarine, un bêlement de chèvre et un couinement de cornemuse, à moins que ce ne fût seulement un cochon. Mon humeur continuait à se caractériser par une joyeuse certitude. Je n'avais pas le sentiment d'être un touriste anxieux d'atteindre tant bien que mal sa destina-

tion, mais plutôt un écrivain sûr de lui qui sait
où va son livre.

Je sortis du brouillard et me retrouvai soudain
dans la lumière du soleil, sous un ciel d'azur. Le
village de Marrant était désert : les rideaux des
boutiques étaient baissés ; l'éventaire de légumes
devant l'*épicerie** était recouvert de toile à sac ;
un chien dormait devant une porte. L'horloge de
l'église indiquait trois heures moins dix, mais
sonna trois coups en grinçant au moment même
où je la regardai. Les heures d'ouverture de la
boulangerie* étaient gravées sur le verre de sa
porte : 8h-12h, 16h-19h. Cela m'emplit de nostalgie, car c'étaient ces horaires démodés qui avaient
été partout en vigueur lors de mes premières
visites en France. Si vous n'aviez pas acheté vos
provisions à midi, vous deviez vous serrer la
ceinture, parce que chacun savait que dans les
villages français le *charcutier** doit fermer boutique pendant quatre heures pour coucher avec la
femme du boulanger, le boulanger pendant quatre heures aussi pour coucher avec la propriétaire
de la *quincaillerie**, et ainsi de suite. Quant aux
lundis — n'en parlons pas. Tout fermait du dimanche midi au mardi matin. L'impulsion économi-
que paneuropéenne avait modifié les habitudes
partout en France, sauf, curieusement, ici.

La gare aussi avait l'air de faire la sieste. Le
guichet et le kiosque à journaux étaient fermés,
mais pour quelque raison un haut-parleur semblait diffuser de la musique. On eût dit les flon-

flons d'un orchestre de cuivres amateur qui s'efforçait de jouer du Scott Joplin. Je poussai une porte vitrée crasseuse, fis quelques pas sur un quai non balayé, remarquai les chardons qui poussaient entre les traverses de la voie, et vis sur ma gauche un petit groupe chargé apparemment de m'accueillir. Un maire, ou du moins un homme qui ressemblait à un maire avec son écharpe tricolore et son collier de barbe, se tenait devant la plus étrange fanfare municipale qu'il m'ait été donné de voir : un cornet à pistons, un tuba et un serpent, qui jouaient tous avec entrain le même morceau de ragtime, de music-hall ou quoi que ce fût d'autre. Le maire, un homme jeune, grassouillet, au teint cireux, s'avança vers moi, empoigna mes deux bras et me donna cérémonieusement l'accolade.

« Merci d'être venus m'accueillir, dis-je machinalement.

— Présence vaut contribution, répondit-il en souriant. Nous espérons que cela vous fait plaisir d'entendre la musique de votre pays.

— Mais... je ne suis pas américain.

— Satie ne l'était pas non plus. Ah, vous ne saviez pas que sa mère était écossaise ? Ce morceau s'intitule *Le Piccadilly*. Allons-y, voulez-vous ? »

Pour quelque raison inconnue de moi, mais approuvée par le maire, je lui emboîtai le pas et restai dans son sillage. Derrière moi le singulier trio attaqua de nouveau *Le Piccadilly*. J'en vins à connaître assez bien ce morceau, étant donné qu'il dure juste un peu plus d'une minute et qu'ils le jouèrent sept ou huit fois tandis que nous longions le quai, franchissions un passage à niveau non gardé et traversions le village assoupi. Je m'attendais à ce que le *charcutier** se plaigne d'un tintamarre qui devait affecter sa concentration sexuelle avec la femme du boulanger, ou du moins à ce qu'un gamin curieux sorte en courant d'une allée ombragée, mais je ne vis que quelques chiens et chats inertes, qui se comportaient comme si ce concert de quinze heures était quelque chose de normal. Pas un seul volet ne bougea.

Le village se terminait de ce côté par un gracieux *lavoir**, un pont en dos d'âne et des lopins de terre impeccablement entretenus mais déserts. Une vieille Citroën surgie de nulle part nous dépassa suavement. On ne voit plus guère de ces modèles-là : vous savez, ces autos noires et larges, ailes galbées, marchepieds sur les côtés, Maigret au volant... Mais je ne pus distinguer le conducteur qui disparaissait dans un virage poussiéreux.

Nous passâmes devant le cimetière, y compris mon escorte musicale qui s'époumonait toujours à jouer *Le Piccadilly.* Un haut mur, les toits pentus de quelques tombeaux cossus, puis une brève échappée entre les vantaux d'un portail fermé avec une chaîne. Un éclat de soleil sur du verre : j'avais oublié cette coutume qui consiste à construire de petites serres au-dessus et autour des tombes. S'agit-il d'une protection symbolique pour les défunts, d'une satisfaction personnelle pour leurs familles, ou simplement d'une façon de prolonger la vie des fleurs après l'été ? Je n'ai jamais eu l'occasion de le demander à un fossoyeur. De toute manière, on n'a pas vraiment besoin de réponses à toutes les questions. Celles qui concernent son propre pays, peut-être. Mais les autres ? Laissons un peu de place à la rêverie, à une aimable invention.

Nous nous arrêtâmes un instant devant le portail d'un manoir aux proportions divines. Pierre couleur biscuit, toit d'ardoises d'un gris d'orage, modestes tourelles-poivrières à chaque coin. Une vénérable glycine, qui avait miraculeusement fleuri une seconde fois, pendait au-dessus d'une porte d'entrée précédée d'un perron à deux côtés qui avait certainement servi autrefois de montoir. Le maire et moi marchions à présent côte à côte sur le gravier, et des écuries nous parvint un aboiement lointain et inoffensif. On pouvait voir, derrière le manoir, quelques bosquets de hêtres sur le versant d'une colline ; à gauche, un étang ombragé, avec ses différentes espèces d'animaux comestibles ; au-delà, une prairie qui menait en pente douce à un vallon luxuriant, du genre de ceux que des Britanniques convertiraient en terrain de golf. Je m'arrêtai ; le maire me fit avancer en me prenant par le coude. Je montai deux marches, fis une courte pause pour respirer la glycine, en gravis six autres, me retournai et m'aperçus qu'il avait disparu. Je ne me sentais pas d'humeur à éprouver de la surprise — ou plutôt, ce qui m'aurait normalement surpris m'apparaissait comme parfaitement compréhensible. Dans la vie ordinaire et pédante je me serais demandé à quel moment précis la fanfare avait cessé de jouer, si la Citroën de Maigret était rangée dans l'écurie, pourquoi je n'avais pas entendu le bruit des pas du maire sur le gravier. Au lieu de cela, je pensai simplement, je suis ici, ils sont partis. Normalement, j'aurais tiré sur la poignée de la sonnette qui pendait sous un anneau de fer rouillé ; au lieu de cela, je poussai la porte.

Je m'attendais plus ou moins à être accueilli avec une courte révérence par une soubrette coiffée d'une charlotte gaufrée et portant un tablier noué au creux des reins en une molle rosette. Mais je ne trouvai qu'un autre feuillet ronéotypé et violâtre m'informant que ma chambre était à l'étage et me priant de bien vouloir descendre au *salon** à sept heures et demie. Le bois des marches grinça, comme je m'y attendais, d'une manière réconfortante plutôt que sinistre. Les volets de ma chambre étaient entrouverts et laissaient passer assez de jour pour que je pusse distinguer le broc et la cuvette sur une console de toilette en marbre, le châlit en cuivre, l'armoire aux formes arrondies. Un intérieur à la Bonnard, auquel ne manquait qu'un chat, ou peut-être Mme Bonnard elle-même se passant l'éponge sur le corps dans la salle de bains. Je m'allongeai sur le lit et restai ainsi un long moment, entre veille et sommeil, ni tenté par les rêves, ni troublé par la réalité.

Comment puis-je décrire ce sentiment d'être là, dans ce village, dans cette chambre, comme en autant de lieux familiers ? Ce n'était pas, comme vous pourriez le penser, la familiarité du souvenir. Je ne peux l'expliquer mieux qu'en ayant recours à une comparaison littéraire, ce qui semble assez approprié en la circonstance. Gide a dit une fois qu'il écrivait pour être relu. J'ai interviewé, il y a quelques années, le romancier Michel Tournier, qui m'a cité cette phrase et a ajouté, après un bref silence, avec une certaine complaisance souriante : « Tandis que moi j'écris pour être relu la première fois. » Vous voyez ce que je veux dire ?

Dans le salon, à sept heures et demie, je fus accueilli par Jean-Luc Cazes, un de ces personnages démodés « rive-gauche-anarcho-rock » (blouson de cuir fatigué, pipe fichée au coin des lèvres), le genre d'aimable philosophe de bar qu'on soupçonne d'avoir un alarmant taux de réussite auprès des femmes. En me tendant un *vin blanc** — cassis assez sirupeux pour éveiller le soupçon que le chanoine Kir avait dû avoir une bonne quantité de vin blanc inférieur sur les bras, il me présenta aux autres invités : un poète espagnol, un cinéaste algérien, un sémioticien italien, un auteur de romans policiers suisse, un dramaturge allemand et un critique d'art belge. Cazes parlait couramment nos différentes langues, mais chacun de nous se débrouillait plus ou moins en français. J'avais eu l'intention de poser des questions aux autres au sujet de leurs invitations, de leur arrivée ici, de la manière dont on les avait reçus, de l'air qu'on leur avait joué, mais d'une façon ou d'une autre cela ne s'est pas fait ; ou alors j'ai oublié.

Le dîner fut servi par une timide jeune paysanne à l'accent prononcé — voyelles fermées et nasales, *a* glissant vers le *i* : « *Si vous n'ivez pas suffisimment, vous n'ivez qu'à deminder** », nous dit-elle avec une sorte de craintive autorité. Une soupe épaisse fleurant bon le chou et le jambon, que j'imaginai ronronnant doucement dans une grande marmite pendant quatre ou cinq jours. Une salade de tomates à la vinaigrette. Une omelette aux *fines herbes** *qui* se révélait bien *baveuse** quand vous y enfonciez la cuiller. Un plat de *gigot** rose avec une sauce pareille à du sang dilué. Des *haricots verts** bien rebondis, cuits au point d'en être tout flasques, et imprégnés de beurre. De la salade. Quatre variétés de fromage. Une coupe de fruits. Du vin servi dans des bouteilles d'un litre sans étiquette, mais portant une rangée d'étoiles sur l'épaule comme un général américain. Mêmes couteau et fourchette pour tout le repas. Et pour finir, du café et une *vieille prune**.

Nous parlions d'une façon détendue : ce n'était pas, après tout, un vrai colloque, et M. Cazes était moins un *animateur** qu'une présence stimulante. Les autres... vous savez, je ne me souviens pas de ce qu'ils ont dit, bien que cela m'ait paru très sensé sur le moment, surtout à la lumière de ce que je savais, ou croyais savoir, au sujet de leur réputation. Quant à moi, je me découvris une surprenante spontanéité quand mon tour vint de prendre la parole. Je n'avais, évidemment, rien préparé, puisqu'on m'avait promis que « présence valait contribution ». Pourtant je me lançai avec aisance et assurance dans un *tour d'horizon**de divers aspects de la culture française, et m'en tirai étrangement bien. J'évoquai tour à tour *Le Grand Meaulnes*, *Le Petit Prince*, Greuze, Astérix, la *comédie larmoyante**, Bernardin de Saint-Pierre, les affiches de chemin de fer d'avant la Grande Guerre, Rousseau, Offenbach, les premiers films de Fernandel et l'importance sémiotique du cendrier Ricard, jaune et triangulaire — ou plutôt « tricornique ». Il faut bien comprendre que ce n'est pas ainsi que je me comporte habituellement. J'ai une mauvaise mémoire et peu d'aptitude à la généralisation. Je préfète discuter d'un seul livre, ou mieux encore d'un seul chapitre, ou mieux encore d'une seule page que j'ai sous les yeux.

Je leur racontai une histoire pour illustrer ce que j'entendais par « charme latin ». Je suis passé une fois à « Apostrophes », la fameuse émission littéraire, en compagnie d'un romancier français qui avait écrit l'autobiographie de son chat. C'était un écrivain connu qui avait décroché plusieurs prix littéraires nationaux. Quand l'animateur lui posa une question au sujet de la composition de son dernier ouvrage, il répondit : « Ce n'est pas moi qui ai écrit ce livre, c'est mon chat. » Cette réponse agaça l'animateur, qui revint plusieurs fois à la charge. « Ce n'est pas moi qui ai écrit ce livre », répondait invariablement le romancier, tandis que la fumée de sa Gauloise voilait à demi son chandail à col roulé et son sourire moustachu, « c'est mon chat ». Nous étions tous amusés par cet exemple d'aimable et fantasque provocation.

Autant vous prévenir tout de suite qu'il n'y eut pas de coup de théâtre. Aucun orage magnétique illuminant soudain le ciel nocturne, aucun *feu d'artifice**, aucune irruption de mimes. Personne ne s'avança, un bras mythiquement tendu, vers un miroir en pied, pour disparaître derrière sa surface ; il n'y eut pas de *visiteurs du soir**. Il n'y eut pas non plus de coup de théâtre à la française : aucun épisode flamboyant avec quelque svelte *conférencière** ou quelque piquante soubrette ; Mme Bonnard ne sortit pas de son bain pour moi. Nous allâmes nous coucher tôt, après nous être tous serré la main.

On dit que le fromage provoque de mauvais rêves, mais le mélange de brie, de saint-nectaire et de pont-l'évêque (je m'étais abstenu de prendre du Bonbel) eut l'effet inverse. Je dormis paisiblement, sans même un de ces tranquilles épisodes au cours desquels quelqu'un que je sais être moi et qui pourtant n'est pas moi se dirige, à travers des paysages à la fois étranges et fami-

liers, vers une récompense à la fois surprenante
et prévisible. Je m'éveillai, l'esprit clair, au son
que faisait un bourdon tardif en se heurtant aux
lattes écailleuses des volets. Une fois descendu
au rez-de-chaussée je trempai ma baguette encore
chaude dans un bol de chocolat fumant, et partis
pour la gare avant que les autres fussent levés.
Les toiles d'araignée couvertes de rosée, où s'ac-
crochaient les premiers rayons du soleil, ressem-
blaient à des décorations de Noël. J'entendis un
fracas derrière moi et fus dépassé par une de ces
camionnettes de boucher faites de métal ondulé
argenté. À la gare je récupérai ma voiture et
traversai le village qui paraissait encore endormi,
bien que, remarquai-je, le trottoir devant les
boutiques eût déjà été arrosé et balayé. Il était
huit heures moins vingt et l'horloge grinçante de
l'église sonna les trois quarts.

Quand j'avais mis le contact, mes phares et
mes essuie-glace s'étaient remis à fonctionner, et
je ne tardai pas à avoir besoin des uns et des
autres en raison de la dense brume matinale que
je dus traverser pour rejoindre la N126. À Aurillac
un autre train élégant à quatre wagons était prêt
à m'emmener à Clermont-Ferrand. Il y avait peu
de passagers, et rien ne bouchait la vue. Je pouvais même voir la N126, ce qui m'aidait à me
repérer. Nous nous arrêtâmes à Vic-sur-Cère et
après cela je fus tout particulièrement vigilant. Je
craignais que cet épais banc de brume ne fût
encore là, mais le doux soleil d'octobre avait dû

le dissiper. Je regardai attentivement, tournai régulièrement la tête d'un côté et de l'autre, tendis l'oreille pour entendre un sifflement de bon augure, et tout ce que je peux dire, c'est que nous ne sommes certainement pas passés par la gare de Marrant-sur-Cère.

Tandis que l'avion se redressait après son premier virage ascensionnel et effaçait de son aile le Puy de Dôme, je me souvins du nom de l'écrivain français qui avait écrit l'autobiographie de son chat. Je me souvins aussi de la réaction que j'avais eue, assis à côté de lui dans le studio : « espèce de couillon prétentieux », avais-je pensé, ou quelque chose du même ordre. Les écrivains français auxquels je suis fidèle sont Montaigne, Voltaire, Flaubert, Mauriac, Camus.. Est-il besoin de dire que je suis incapable de lire *Le Petit Prince,* et que je trouve la plus grande partie de la production de Greuze écœurante ? Je suis sentimental en matière de clarté de pensée, cœur tendre en matière de rationalité.

Quand j'étais adolescent, j'allais parfois passer des vacances en France avec mes parents en voiture. Je n'avais encore jamais vu un Bonnard. Le seul fromage que j'acceptais de manger était le gruyère. Je déplorais cette manie qu'ils avaient de gâcher les tomates avec de la vinaigrette. Je n'arrivais pas à comprendre pourquoi il fallait finir sa viande avant de pouvoir commencer ses légumes. Je me demandais pourquoi ils mettaient de l'herbe coupée dans leurs omelettes. Je détestais le vin rouge. Et cette appréhension n'était pas seulement d'ordre alimentaire, elle concernait aussi la langue, les dispositions prises pour dormir, les hôtels. Les tensions accumulées de vacances en famille me tourmentaient. Je n'étais pas heureux, pour dire les choses simplement. J'avais besoin, comme la plupart des adolescents, de la science des solutions imaginaires. Toute nostalgie est-elle factice, je me le demande, et toute sentimentalité, la représentation d'émotions non ressenties ?

Jean-Luc Cazes, appris-je dans mon encyclopédie, est un écrivain inventé par les membres du groupe OULIPO et chargé par eux de les représenter lors de diverses opérations promotionnelles et provocatrices. *Marrant* signifie « drôle » en français, ce qu'évidemment j'avais su avant de partir : quel endroit pouvait mieux convenir à une rencontre pataphysique ? Je n'ai revu aucun des autres participants depuis lors, ce qui n'est guère surprenant. Et je n'ai toujours pas assisté au moindre colloque littéraire.

Dragons

Pierre Chaigne, charpentier, veuf, fabriquait une lanterne. Tournant le dos à la porte de son atelier, il inséra doucement les quatre rectangles de verre dans les rainures qu'il avait graissées avec du suif. Ils coulissaient bien, tout en étant ajustés : la flamme serait parfaitement à l'abri, et la lanterne projetterait sa lumière dans toutes les directions quand ce serait nécessaire. Mais Pierre Chaigne, charpentier, veuf, avait aussi coupé trois panneaux de hêtre, de même format que les plaques de verre. Lorsqu'ils seraient en place, la lumière serait projetée dans une seule direction, et la lanterne serait invisible des trois autres points cardinaux. Pierre Chaigne rabota soigneusement chaque panneau de hêtre, et quand il constata qu'ils glissaient aisément dans les rainures graissées, il alla les dissimuler sous le bois de rebut qui gisait en tas au fond de l'atelier.

Tout ce qui était mauvais venait du nord. Quelles que fussent leurs croyances respectives, tous les habitants du bourg, des deux parties du bourg, savaient cela. C'était le vent du nord, passant par-dessus la montagne Noire, qui tourmentait les brebis et leur faisait avoir des agneaux mort-nés ; c'était le vent du nord qui ensorcelait la veuve Gibault et lui faisait demander à grands cris, même à son âge, des choses telles que sa fille devait la bâillonner avec un chiffon, de crainte que des enfants ou le prêtre n'entendissent ce qu'elle réclamait. C'était au nord, dans la forêt qui se trouvait de l'autre côté de la montagne Noire, que vivait la Bête de Gruissan. Ceux qui l'avaient vue décrivaient un chien de la taille d'un cheval, avec les taches d'un léopard, et on ne comptait plus les fois où, dans la campagne autour de Gruissan, la Bête avait pris des moutons, et jusqu'à un petit veau. Des chiens que leurs maîtres avaient envoyés affronter la Bête s'étaient fait arracher la tête. Le bourg avait adressé une pétition au roi, et le roi avait dépêché le chef de ses arquebusiers. Après moult prières et cérémonies, ce guerrier royal s'était enfoncé dans la forêt avec un bûcheron de la région, lequel s'était honteusement enfui. L'arquebusier en était ressorti plusieurs jours plus tard, les mains vides. Il était retourné à Paris, et la Bête était retournée à son maraudage. Et maintenant, à ce qu'on disait, les dragons arrivaient, du nord, du nord.

C'était du nord, vingt ans plus tôt, à l'époque où Pierre Chaigne, charpentier, veuf, était un garçon de treize ans, qu'étaient venus les commissaires départis. Ils étaient arrivés tous les

deux, dentelle au poignet et la mine sévère,
escortés par dix soldats. Ils avaient examiné le
temple et entendu les témoignages de ceux qui
s'étaient présentés, au sujet des agrandissements
auxquels on avait procédé. Le lendemain, du haut
d'un montoir, le commissaire de rang supérieur
avait expliqué la loi. L'édit du roi, avait-il dit,
avait autorisé la pratique de leur religion, certes ;
mais cette protection avait été accordée seulement au culte tel qu'il était constitué au temps
de l'édit. On ne leur avait nullement permis
d'étendre leur culte : on avait décidé de tolérer
les ennemis de la religion du roi, on n'avait pas
voulu les encourager. Par conséquent tous les
temples construits depuis la promulgation de l'édit,
et même ceux qu'on avait seulement agrandis,
devaient être détruits : cela servirait d'avertissement à ceux qui continuaient à défier la religion
du roi. De plus, pour expier leur faute, c'étaient
les bâtisseurs du temple eux-mêmes qui devaient
le démolir. Pierre Chaigne se souvenait qu'à ce
moment un cri d'indignation s'était élevé des
personnes assemblées. Le commissaire avait alors
annoncé qu'afin de hâter l'exécution de ce travail,
quatre enfants, pris parmi ceux des ennemis de
la religion du roi, avaient été placés sous la garde
des soldats, et qu'ils y resteraient, en sécurité et
bien nourris, aussi longtemps que le temple ne
serait pas complètement démoli. C'était à cette
époque qu'une grande tristesse s'était abattue sur

la famille de Pierre Chaigne, et peu après sa mère était morte d'une fièvre hivernale.

Et maintenant les dragons venaient du nord. Les prêtres de la religion du roi avaient décrété que dans la défense de « notre Sainte Mère l'Église », comme ils disaient, contre les hérétiques, tout était permis fors le meurtre. Les dragons avaient une autre maxime : « Qu'importe le chemin, pourvu qu'il mène au paradis ? » Ils étaient venus, il n'y avait pas si longtemps que cela, à Bougouin de Chavagne, où ils avaient jeté plusieurs hommes dans un grand fossé creusé au pied de la tour du château. Les victimes, brisées par leur chute, perdues comme dans l'obscurité du tombeau, s'étaient réconfortées en chantant le psaume 138 :

> *Je marche au milieu des tourments,*
> *Mais Tu me redonneras vie ;*
> *Ta main droite se tendra vers moi*
> *Qui subis la colère de mes ennemis,*
> *Et elle me sauvera.*

Mais nuit après nuit les voix s'élevant du grand fossé s'étaient raréfiées, jusqu'au moment où aucune d'elles n'avait plus chanté le psaume 138.

Les trois soldats qui furent placés dans la maison de Pierre Chaigne étaient des hommes déjà âgés, quarante ans au moins. Deux d'entre eux avaient des balafres sur le visage, visibles malgré leur grande barbe. Ils portaient, sur l'épaule de leur tunique de cuir, la silhouette du monstre ailé de leur régiment. Un autre entortillement de fils indiquait à ceux qui possédaient quelques connaissances militaires que ces vieux soldats appartenaient aux *dragons étrangers du roi**. Pierre Chaigne n'avait pas de telles connaissances, mais il avait des oreilles et cela suffisait. Ces hommes ne semblaient rien comprendre de ce que Pierre Chaigne leur disait, et parlaient entre eux la rude langue du nord, du nord.

Ils étaient accompagnés par le Secrétaire de l'Intendant, qui lut un bref arrêt de justice à Pierre Chaigne et à sa famille rassemblée autour de lui. Attendu que le foyer de Pierre Chaigne, charpentier, veuf, par son non-paiement délibéré de la taille, enfreignait odieusement les lois du royaume, ces dragons, un officier et deux hommes, seraient logés chez les Chaigne, qui devraient subvenir à tous leurs besoins tant qu'ils ne choisiraient pas de payer la taille et de se soulager ainsi de ce fardeau. Quand le Secrétaire de l'Intendant se retira, un des deux simples soldats fit signe à la fille de Pierre Chaigne, Marthe, de s'approcher de lui. Tandis qu'elle s'avançait, il sortit de sa poche un petit animal belliqueux qu'il tenait par le cou, et le lui mit brusquement sous le nez. Marthe, bien qu'elle ne fût âgée que de treize ans, n'eut pas peur de la bestiole ; son calme encouragea sa famille et surprit le soldat,

qui remit l'animal dans la longue poche qui était
cousue sur le côté de son pantalon.

On avait donc vu en Pierre Chaigne un ennemi
de la religion du roi, et par conséquent un ennemi
du roi, mais à ses propres yeux il n'était ni l'un
ni l'autre. Il était fidèle au roi, et désirait vivre
en paix avec la religion du roi ; mais cela n'était
pas permis. L'Intendant savait que Pierre Chaigne ne pouvait pas payer la taille imposée, et que
s'il la payait, elle serait immédiatement augmen-
tée. Les soldats avaient été placés chez lui pour
percevoir la taille ; mais leur présence même, et
le coût de leur entretien, réduisaient d'autant plus
toute possibilité de paiement. Cela était connu et
établi.

La famille Chaigne se composait de cinq personnes. Anne Rouget, veuve, tante maternelle de
Pierre, était venue habiter chez eux à la mort de
son mari, un laboureur qui possédait deux char-
rues ; après l'avoir enterré selon les rites de la
religion du roi, elle avait accepté de se convertir
à celle que pratiquait la famille de sa sœur. Elle
avait maintenant plus de cinquante ans, et son
esprit commençait donc à donner des signes de
faiblesse, mais elle était encore capable de faire
la cuisine et le ménage avec sa petite-nièce Marthe. Pierre Chaigne avait aussi deux fils, Henri,
âgé de quinze ans, et Daniel, neuf ans. C'était
pour ce dernier que Pierre Chaigne s'inquiétait
le plus. La loi déterminant l'âge minimum de
conversion avait déjà été modifiée deux fois. À

l'époque où Pierre était lui-même un bambin, elle stipulait qu'un enfant ne pouvait pas abjurer la religion de ses parents avant l'âge de quatorze ans, celui-ci étant considéré comme suffisant pour que fût confirmée la capacité mentale du sujet. Puis cet âge avait été abaissé à douze ans. Mais la nouvelle loi l'avait encore abaissé : il n'était plus que de sept ans. Le but de ces changements était évident. Un enfant comme Daniel, dont l'esprit n'avait pas encore cette fermeté de conviction qui vient avec l'âge adulte, pouvait être séduit par les couleurs et les parfums, les parures et la pompe, tout le clinquant et les artifices de la religion du roi. Cela s'était déjà vu.

Les trois *dragons étrangers du roi** exprimèrent leurs besoins au moyen de paroles incompréhensibles et de gestes clairs. Ils se réserveraient le lit, et la famille Chaigne dormirait où bon lui semblerait. Ils s'installeraient à la table pour leurs repas, la famille Chaigne les servirait et mangerait ce qu'ils voudraient bien laisser. Il fallut remettre la clef de la maison à l'officier, ainsi que les couteaux dont Pierre et son fils aîné se servaient pour couper leur nourriture.

Le premier soir, alors que les trois soldats attendaient leur soupe, l'officier se mit à rugir quand Marthe posa les bols devant eux. Sa voix était forte et étrange. « Mon estomac va penser que ma gorge est coupée ! » brailla-t-il. Les deux autres soldats s'esclaffèrent. Marthe ne comprit pas. L'officier tapa sur son bol avec sa cuiller.

Alors Marthe comprit, et lui apporta promptement sa nourriture.

Le Secrétaire de l'Intendant avait déclaré que les dragons avaient été placés chez les Chaigne, en application de la loi, pour percevoir la taille ; et de fait, le deuxième jour, les trois soldats firent quelques efforts pour s'assurer qu'ils n'avaient pas caché de l'argent ou des objets de valeur quelque part. Ils vidèrent les placards, regardèrent sous le lit, fourgonnèrent dans les piles de bois de Pierre Chaigne. Ils cherchaient avec une sorte de consciencieuse maussaderie, non dans l'espoir de trouver quelque chose, mais pour que chacun sache bien qu'ils avaient fait ce qu'on attendait officiellement d'eux. De précédentes campagnes leur avaient appris que les maisons qu'on leur faisait occuper en premier lieu n'étaient jamais celles des riches. Quand on avait eu recours à leurs services, bien des années plus tôt, à la fin de la guerre, il avait semblé logique aux autorités de loger les dragons chez ceux qui étaient le plus capables de payer la taille. Mais cette méthode s'était révélée lente ; elle renforçait le sens de la fraternité parmi les adeptes du culte, et produisait quelques martyrs notoires dont le souvenir inspirait souvent les obstinés. On avait donc jugé plus profitable de placer d'abord les soldats dans les familles pauvres. Cela provoquait une utile division parmi les ennemis de la religion du roi, lorsque les pauvres constataient que les riches étaient exempts des souffrances qui leur étaient infligées. De rapides conversions étaient ainsi bien souvent obtenues.

Le deuxième soir, le soldat qui avait un furet dans la longue poche de son pantalon attira contre son genou le petit Daniel, qui lui donnait du pain. Il le tint si fermement par la taille que l'enfant commença aussitôt à se débattre. Le soldat avait dans sa main libre un couteau avec lequel il s'apprêtait à couper son pain. Il posa la lame à plat sur la table, dont le bois était le plus dur de tous ceux que connaissait le charpentier Pierre Chaigne, et d'une légère poussée détacha de sa surface un fin copeau rigide, recourbé et transparent.

« Ça raserait une souris endormie », dit-il dans sa langue. Pierre Chaigne et sa famille ne comprirent pas ces mots, mais ils n'avaient pas besoin de les comprendre.

Le lendemain, les soldats se servirent du furet pour tuer un jeune coq, qu'ils mangèrent au dîner, et trouvant la maison trop froide à midi, bien que le soleil brillât, ils cassèrent deux chaises et les brûlèrent dans la cheminée, sans prêter attention au tas de bois à côté.

Contrairement à la religion du roi, le culte pouvait être célébré partout où les fidèles se rassemblaient, à défaut d'un temple où se réunir. Les dragons s'efforcèrent d'empêcher Pierre Chaigne et les siens d'accomplir les rites de leur religion : la maison était verrouillée la nuit, et pendant la journée les soldats se postaient de façon à pouvoir épier les mouvements de chacun. Mais ils n'étaient que trois pour cinq personnes, et il était parfois possible d'échapper à leur vigilance et de se rendre dans une maison où le culte était célébré. Pierre Chaigne et les siens parlaient ouvertement de ces choses devant les dragons ; cela avait pour eux comme un goût de revanche. Mais les dragons, qui étaient une quarantaine dans le bourg, avaient leurs propres sources de renseignements, et les adeptes du culte avaient beau changer fréquemment de lieu de réunion, ils étaient tout aussi fréquemment découverts par les soldats. Alors les ennemis de la religion du roi décidèrent de se réunir en plein air, dans la forêt située au nord du bourg. Au début ils s'y retrouvèrent dans la journée, et plus tard, seulement la nuit. Beaucoup d'entre eux craignaient que la Bête de Gruissan ne se jette sur eux dans l'obscurité, et leur première prière était toujours pour implorer le Ciel de les protéger de la Bête. Une nuit ils furent surpris par les dragons, qui s'élancèrent vers eux en hurlant, puis les rossèrent et les blessèrent avec leurs sabres et les chassèrent de la forêt. Le lendemain matin, quand la veuve Gibault resta introuvable, ils retournèrent dans la forêt et l'y découvrirent, morte d'épouvante.

Pierre Chaigne se rappelait le temps où les deux communautés du bourg se fréquentaient librement, où toute la population assistait aux enterrements et aux mariages sans tenir compte du credo religieux des participants. Il est vrai que ni les adeptes de la religion du roi, ni ceux du culte, n'entraient dans le temple ou l'église des autres ; mais un des groupes attendait patiemment dehors que la cérémonie fût finie, et ensuite tout le monde suivait, vers le cimetière ou vers la noce. Mais les joies partagées comme les chagrins partagés appartenaient à un temps révolu. Et il était rare maintenant dans le bourg que des adeptes des deux religions cohabitent au sein d'une même famille.

Bien qu'on fût en été, les dragons avaient besoin de feu. Ils brûlèrent tous les meubles, à l'exception de ceux qu'ils réservaient pour leur propre usage. Puis ils se mirent à brûler le plus beau bois de Pierre Chaigne, charpentier, veuf. Des madriers de vieux chêne provenant d'arbres coupés par son père vingt ans plus tôt, des pièces d'orme ou de frêne de première qualité, tout fut consumé par le feu. Pour accroître encore l'outrage fait à Pierre Chaigne et sa détresse, on l'obligea à couper lui-même son bois d'œuvre en tronçons. Quand les dragons s'aperçurent que ce beau bois brûlait plus lentement qu'ils ne l'avaient espéré, ils ordonnèrent à Pierre Chaigne et à ses fils d'en faire un grand bûcher à côté de l'atelier, et d'entretenir le feu jusqu'à ce que tout leur bois fût consumé.

Tandis que Pierre Chaigne regardait, immobile, le monticule de cendres qui était tout ce qui restait de son avenir de charpentier, l'officier lui

dit : « L'aide de Dieu est à portée de la main. »
Pierre Chaigne ne comprit pas ces paroles.

Puis les soldats prirent tous les outils de Pierre
Chaigne, et ceux de son fils Henri, et les vendirent aux adeptes de la religion du roi. D'abord
Pierre Chaigne n'en fut pas plus malheureux, car
les soldats, l'ayant déjà privé de son bois, ne lui
faisaient pas grand tort en le privant aussi de ses
instruments de travail ; et en outre, la vente de
tous ses bons outils pourrait même lui rapporter
assez d'argent pour qu'il fût en mesure de payer
la taille et donc d'obtenir le départ des soldats.
Cependant, les dragons vendirent ses outils non
à leur juste valeur, mais à un prix si bas que nul
ne pouvait résister à l'envie de les acheter, et
gardèrent l'argent pour eux-mêmes. François Dan-
jon, meunier, veuf, adepte de la religion du roi,
qui avait acheté plusieurs de ces outils, les rendit
à Pierre Chaigne à la faveur de la nuit. Celui-ci
les enveloppa dans de la toile huilée et les enterra
dans les bois en prévision de jours meilleurs.

Ce fut à cette époque qu'un colporteur âgé de
dix-neuf ans, arrivé dans le bourg à pied par la
route des Cherveux, fut arrêté par plusieurs dragons et interrogé. Il avait l'accent suspect du
Midi. Il reconnut, après une première volée de
coups, qu'il était un adepte du culte, et après une
seconde volée, qu'il désirait abjurer sa foi. Il fut
alors emmené devant le prêtre, qui lui donna
l'absolution et inscrivit son nom dans le registre
d'abjuration. Le colporteur traça une croix en

face de son nom, et deux des dragons, fiers de leur zèle et espérant bien en être récompensés, signèrent comme témoins. Après quoi le colporteur dut reprendre la route sans ses marchandises. Henri Chaigne, quinze ans, assista à la bastonnade, qui eut lieu sur la place du village ; et tandis que la victime était entraînée vers l'église, un dragon qu'il n'avait encore jamais vu lui dit dans la rude langue du nord : « Qu'importe le chemin, pourvu qu'il mène au paradis ? » Henri Chaigne ne comprit pas ce qu'il disait, mais reconnut le mot paradis.

Au début, des conversions furent rapidement obtenues parmi les personnes âgées, faibles ou isolées, et les jeunes enfants délibérément enjôlés au moyen du clinquant et des artifices. Mais au bout de quelques semaines le nombre d'abjurations diminua. C'était souvent ainsi que les choses se passaient, et il était bien connu que les dragons se livraient fréquemment à des abus pour que les conversions continuent.

Quand la levée de la taille avait été annoncée, certains avaient cherché à fuir après avoir entendu dire qu'il était possible de gagner Saint-Nazaire et de trouver ailleurs la terre promise. Deux familles avaient quitté le bourg de cette manière, sur quoi l'Intendant avait ordonné aux adeptes du culte de démolir et d'incendier les maisons qu'elles avaient abandonnées. Toutefois la taille non payée n'avait pas été oubliée, mais avait été transférée sur ceux qui étaient restés. C'était la

procédure habituelle. Quand un hérétique se
convertissait à la religion du roi, la taille qu'il
aurait dû payer était répartie entre les autres
membres de la communauté des hérétiques, et
ainsi leur impôt s'alourdissait à mesure que leurs
ressources diminuaient. Cela poussait certains
d'entre eux au désespoir ; mais d'autres, ayant
tout perdu, étaient d'autant plus résolus à ne pas
perdre cette foi au nom de laquelle ils avaient
tout perdu. C'est ainsi que les « missionnaires
bottés », comme on les appelait, rencontraient de
plus en plus de résistance dans l'accomplissemen⁺
de leur tâche. Cela aussi était connu et prévu.

Ce fut peu de temps après que les soldats
eurent vendu les outils de Pierre Chaigne qu'Anne
Rouget, la sœur de sa mère, tomba malade et fut
la première à abjurer. Quand les dragons virent
qu'elle était faible et fiévreuse, ils décidèrent de
lui céder le lit et de dormir par terre. Cet acte
chevaleresque était calculé, car elle ne fut pas
plus tôt installée dans le lit qu'ils la déclarèrent
à l'agonie et firent venir le prêtre de la religion
du roi. Une ordonnance royale stipulait que lorsqu'un hérétique protestant se mourait, le prêtre
avait le droit d'aller à son chevet afin de lui offrir
la possibilité de retourner dans la mort au sein
de « notre Sainte Mère l'Église ». Cette visite, à
laquelle la famille ne pouvait s'opposer, devait
avoir lieu en présence d'un magistrat, et le prêtre
n'était autorisé à employer aucune forme de
contrainte quand il tentait d'obtenir une conver-

sion. Mais ces conditions n'étaient pas toujours respectées à la lettre. Le magistrat étant occupé ailleurs, ce fut l'officier des dragons qui accompagna le prêtre chez les Chaigne. La famille fut expulsée dans la chaleur du jour, deux dragons gardèrent la porte, et six heures plus tard, Anne Rouget avait été reçue dans l'Église où elle avait passé les trente premières années de sa vie. Le prêtre s'en alla satisfait, et ce soir-là les soldats récupérèrent « leur » lit, obligeant Anne Rouget à coucher de nouveau par terre.

« Pourquoi ? demanda Pierre Chaigne.

— Laisse-moi en paix, répondit Anne Rouget.

— Pourquoi ?

— L'un ou l'autre est vrai. »

Ce furent ses derniers mots, et elle mourut deux jours plus tard — mais Pierre Chaigne ne sut jamais au juste si c'était sa fièvre, son désespoir ou son apostasie qui avait hâté sa fin.

Daniel, le garçon de neuf ans, fut le deuxième à abjurer. On l'emmena dans l'église de la religion du roi, et là on lui expliqua qu'Anne Rouget, qui lui avait tenu lieu de mère, l'attendait au Ciel, et qu'il la reverrait sûrement un jour s'il ne s'obstinait pas dans son hérésie et ne choisissait pas de brûler en enfer. Puis on lui montra les beaux vêtements sacerdotaux et le reliquaire doré qui contenait le petit doigt de saint Boniface ; il sentit l'encens et regarda attentivement les monstres sculptés entre les stalles du chœur — des monstres qu'il rencontrerait sans nul doute en personne s'il choisissait librement de brûler en enfer. Et le dimanche suivant, pendant la messe, Daniel Chaigne abjura publiquement le culte du temple. Sa conversion fut accueillie avec une grande et impressionnante solennité, et ensuite les adeptes féminines de la religion du roi lui prodiguèrent force cajoleries. Le dimanche suivant Pierre Chaigne et son fils aîné essayèrent d'empêcher les dragons d'emmener Daniel à la messe ; ils furent battus et le garçon y fut quand même emmené. Il ne revint pas, et le prêtre informa Pierre Chaigne qu'on l'avait placé, pour parer à toute défection, dans le collège de Jésuites qui se trouvait de l'autre côté de la montagne Noire, et qu'il y serait éduqué aux frais de la famille jusqu'à ce que celle-ci décide de renoncer à son hérésie.

De tous les hérétiques du bourg, seuls restaient maintenant les obstinés. Ce fut alors que l'Intendant nomma Receveur de la Taille le plus gros propriétaire terrien protestant de la région, Pierre Allonneau, sieur de Beaulieu, fermier de Coutaud. Lequel devint sur-le-champ légalement responsable du paiement de l'ensemble des impôts dus par tous les adeptes du culte depuis l'annonce de la levée de la taille. Il était bien sûr incapable de le faire, mais se voyant soudain complètement ruiné, il ne fut plus en mesure d'aider en secret les obstinés.

Cela faisait deux mois que les trois dragons étaient logés chez les Chaigne. Tous les poulets et les deux porcs avaient été mangés ; presque tous les meubles avaient été brûlés ; le bois de Pierre Chaigne était parti en fumée, à l'exception d'un tas informe de planches sans valeur au fond de son atelier. Les habitants du bourg qui auraient pu venir en aide à la famille étaient maintenant eux aussi dans le dénuement. Chaque jour Pierre Chaigne et son fils Henri étaient obligés de parcourir les bois et les champs pour trouver de la nourriture. Les deux simples soldats venaient avec eux, pendant que l'officier surveillait Marthe. Il était difficile de trouver assez de nourriture pour remplir six estomacs, et les deux dragons ne les aidaient jamais à attraper un lièvre ou à chercher des champignons. Quand il n'y avait pas assez de nourriture pour que les soldats puissent manger tout leur content, les Chaigne devaient se serrer un peu plus la ceinture.

Ce fut en revenant d'une de ces expéditions quotidiennes que Pierre et Henri Chaigne découvrirent que l'officier obligeait Marthe, treize ans, à coucher avec lui. Ce spectacle emplit Pierre Chaigne de fureur et de désespoir ; seule sa religion l'empêcha d'attenter cette nuit-là à la vie de l'officier.

Le lendemain, l'officier décida d'accompagner les deux hérétiques dans leur recherche de nourriture, et un des simples soldats resta à la maison pour surveiller Marthe. Ce soldat l'obligea aussi à coucher avec lui. Aucune explication ne fut donnée, et aucune n'était nécessaire. Marthe Chaigne refusa de parler à son père ou à son frère de ce qui s'était passé.

Au bout de neuf jours, ne supportant plus de voir sa sœur traitée comme une catin, Henri Chaigne abjura sa foi. Mais cela n'empêcha pas les dragons de continuer à traiter sa sœur comme une catin. Alors, le dimanche suivant, pendant la messe, Henri Chaigne recracha l'hostie et le vin consacrés qu'il venait de recevoir du prêtre. Pour ce blasphème contre le corps et le sang de Notre Seigneur, Henri Chaigne fut dûment jugé par le tribunal épiscopal, condamné à mort et remis entre les mains des soldats, qui le menèrent au bûcher.

Après cela, les trois soldats isolèrent Pierre Chaigne et sa fille en leur interdisant de se parler. Marthe s'occupait de la maison et servait de catin aux dragons ; son père cherchait de la nourriture et coupait du bois dans la forêt, car l'air automnal était de plus en plus froid. Après toutes ces souffrances, Pierre Chaigne était déterminé à résister, jusqu'à la mort s'il le fallait, à la tentation de l'apostasie. Sa fille était tout aussi assurée dans sa foi, et endurait son supplice quotidien avec la force d'âme d'un martyr.

Un matin, après que l'officier l'eut forcée à coucher avec lui, mais traitée avec moins de rudesse qu'à l'ordinaire, elle eut une cruelle surprise. L'officier avait coutume de lui parler dans le rude langage du nord pendant qu'il se servait d'elle comme d'une catin, de crier des mots et après de marmonner tout bas. Elle s'y était habituée, et parfois cela l'aidait à supporter sa souffrance, car elle pouvait imaginer que l'homme qui prononçait ces paroles était lui-même aussi distant que le nord.

Ce matin-là, encore étendu près d'elle, il lui dit : « Tu es brave, petite. »

Elle ne se rendit pas compte tout de suite qu'il s'était exprimé dans sa langue à elle. Il se hissa sur un coude et s'écarta un peu d'elle. « J'admire cela », ajouta-t-il, toujours dans la langue du sud, « et c'est pourquoi je veux t'épargner des souffrances supplémentaires.

— Vous parlez notre langue.

— Oui.

— Alors vous avez compris ce que nous avons dit dans la maison depuis que vous êtes arrivé ici ?

— Oui.

— Et les autres aussi ?

— Nous sommes dans votre pays depuis de nombreuses années. »

Marthe Chaigne resta silencieuse. Elle se rappelait ce que son frère Henri avait dit ouvertement au sujet des dragons et des prêtres de la religion du roi. Son père avait révélé où le culte devait être célébré, sans se douter des conséquences que cela pourrait avoir. Elle-même avait prononcé des paroles de haine.

« Et parce que je veux t'épargner des souffrances, continua l'officier, je vais t'expliquer ce qui va arriver. »

Que pouvait-il arriver ? D'autres tourments de ce genre. Pis encore. La torture. La mort. Sans aucun doute. Mais ensuite le paradis, certainement.

« Ce qui arrivera, c'est que tu tomberas enceinte. Et alors nous témoignerons que ton père s'est servi de toi comme d'une catin en notre présence. Et vous serez jugés, ton père et toi, et condamnés par le tribunal. Vous serez brûlés vifs, toi et ton père, ainsi que le fruit de cette union incestueuse. »

Le soldat s'interrompit pour que la petite fille, raide d'appréhension, comprît bien le sens de ses paroles. « Tu abjureras. Tu abjureras, et ainsi tu sauveras la vie de ton père.

— Mon père préférerait mourir.

— Ton père n'a pas le choix. Toi seule peux décider qu'il vive ou qu'il meure. Alors tu abjureras. »

Marthe Chaigne restait étendue, immobile, sur le lit. Le soldat se leva, rajusta ses vêtements, et s'assit à la table, attendant qu'elle accepte sa proposition. Il connaissait assez son métier pour éviter d'ajouter des paroles superflues.

Finalement la petite fille demanda : « D'où venez-vous ? »

Le soldat rit, tant la question lui parut inattendue. « Du nord.

— Où dans le nord ? *Où ?*

— Un pays qu'on appelle l'Irlande.

— Où est-ce ?

— Au-delà de la mer. Près de l'Angleterre.

— Où est-ce ?

— Au-delà de la mer aussi. Dans le nord. »

La petite fille dans le lit gardait la tête tournée de l'autre côté. « Et pourquoi venez-vous de si loin pour nous persécuter ?

— Vous êtes des hérétiques. Votre hérésie constitue un danger pour notre Sainte Mère l'Église. Tous, partout, nous avons le devoir de la défendre.

— Trente deniers. »

Le soldat parut sur le point de se fâcher, mais il garda présent à l'esprit l'objet de cette conversation.

« Si tu n'as jamais entendu parler de l'Angleterre, alors tu n'as jamais entendu parler de Cromwell non plus...

— Qui est-ce ?

— Il est mort à présent.

— C'était votre roi ? Est-ce qu'il vous a recruté ? Pour venir ici nous persécuter ?

— Non. Au contraire. » Le soldat commença à se souvenir de choses dont il n'était jamais bon de se souvenir, des choses qui avaient marqué sa vie à jamais, bien des années auparavant. L'enfance, ses scènes, et ses sons terrifiants. Les dures voix de l'Angleterre. « Oui, je suppose que dans un sens on peut dire qu'il m'a recruté.

— Alors je maudis son nom et toute sa famille. »

L'officier soupira. Par où aurait-il pu commencer ? Tout était si compliqué et embrouillé, et il était un vieil homme à présent, quarante ans passés. Cette enfant ne savait même pas où se trouvait l'Angleterre. Par où aurait-il pu commencer ? « Oui, dit-il d'un ton las. Tu maudis son nom. Je maudis son nom. Nous maudissons tous les deux son nom. Et dimanche tu abjureras. »

Ce dimanche-là, tandis que l'encens lui piquait les narines et que ses yeux étaient assaillis par les couleurs racoleuses de la religion du roi, Marthe Chaigne, treize ans, le cœur brisé par le chagrin qu'elle causait à son père et la certitude qu'elle ne pourrait jamais s'en expliquer, abjura sa foi. Elle traça une croix sur le registre en face de son nom, et l'officier des dragons signa comme témoin. Après avoir signé, il regarda le prêtre et dit, dans sa propre langue : « Qu'importe le chemin, pourvu qu'il mène au paradis ? »

Marthe Chaigne fut emmenée ce jour-là à l'Union chrétienne, de l'autre côté de la montagne Noire, où elle serait éduquée par les bonnes sœurs. Le coût de son éducation serait ajouté à la taille due par Pierre Chaigne.

Les dragons quittèrent le bourg la semaine suivante. Le nombre des hérétiques avait été réduit de cent soixante-seize à huit. Il y avait toujours des obstinés, mais l'expérience avait montré que lorsqu'ils étaient en proportion infime ils avaient peu d'influence et finissaient leurs jours dans l'amertume et le désespoir. Les dragons devaient aller poursuivre leur tâche plus au sud, en quelque nouveau lieu.

Les huit obstinés ployaient sous le fardeau que constituaient la taille de ceux qui s'étaient convertis, le coût de l'éducation catholique de leurs enfants, et de nombreux impôts supplémentaires. Une ordonnance leur interdisait d'exercer leur métier ou de louer leurs services aux adeptes de la religion du roi. Il leur était aussi interdit d'abandonner leur foyer et de chercher ailleurs la terre promise.

Deux nuits après le départ des dragons, Pierre Chaigne, charpentier, veuf, retourna dans son atelier. Il décrocha la lanterne qu'il avait fabriquée et retira trois de ses panneaux de verre. Il alla chercher sous le tas de bois de rebut, que les soldats eux-mêmes avaient jugé trop méprisable pour être brûlé, les trois fins rectangles de hêtre. Il les fit doucement glisser dans les rainures gluantes de suif. Puis il alluma la chandelle et remit le couvercle en place. L'instrument, privé des trois quarts de son verre, n'éclairait pas dans toutes les directions, mais donnait une lumière plus brillante et plus pure dans celle où on l'orientait. Pierre Chaigne, charpentier, veuf, suivrait cette lumière jusqu'au bout de son voyage. Il se dirigea vers la porte de son atelier, leva le loquet, et sortit dans la nuit froide. Le

faisceau jaune de sa lampe le devançait en vacil-
lant en direction de la forêt, où les autres obstinés attendaient qu'il se joigne à eux dans la
prière.

Brambilla

Je vais vous dire comment j'ai appris à descendre. Mr. Douglas n'arrêtait pas de me dire à l'époque que je roulais comme un facteur. Il avait cette vieille machine en plus de son vélo de course, avec un guidon droit et presque un panier à provisions devant, et quelquefois il la prenait pour venir avec moi. Je croyais qu'il faisait ça juste pour m'humilier, mais c'était un malin, il me montrait tout le chemin qu'il me restait à parcourir. Il ne roulait pas comme ça avec moi toute la journée, mais il le faisait un bout de temps, puis il m'envoyait tout seul dans les collines. Monter, descendre, l'histoire de ma vie.

Alors un jour, ou plutôt un soir, je croyais que l'entraînement était fini, mais il a commencé à me faire grimper dans son sillage le mont Moran. Il pédalait et pédalait, sans ouvrir la bouche, menant le train, moi derrière. Ça faisait déjà sept ou huit heures qu'on était dehors et le soleil virait à l'orange sur la plaine et je ne voyais vraiment pas l'intérêt de la chose, parce qu'il ne me faisait pas souffrir, je restais tranquillement collé à sa roue arrière et voilà tout. On avait déjà dépassé tous ces grands virages, et alors il s'arrête au bord de la route et me dit : « Bon, maintenant, Andy, je vais t'apprendre à descendre. » Et — c'est le genre de truc qui fout les jetons — il sort cette petite clef à écrous et retire ses sabots de frein et me les donne. « Tout ce que tu as à faire, qu'il ajoute, c'est de ne pas rester à la traîne, et je paye la tournée. » Alors il commence à descendre pendant que j'empoche ses sabots de frein, et il a bien fallu que je le suive, et d'abord je me suis dit bon, s'il ne se sert pas de ses freins je ne vais pas le faire non plus, seulement voilà, dans le deuxième ou le troisième virage mes doigts étaient déjà crispés sur les poignées, alors que ce sacré vieux ouistiti, ce putain de facteur volant, filait comme le vent devant moi, en se servant seulement de son corps pour réduire sa vitesse — en se redressant sur sa selle et se penchant de nouveau sur son guidon et mettant à profit chaque pouce de macadam —, et quelquefois je négociais un virage comme lui sans les freins et je poussais un hurlement, mais il n'a pas ouvert la bouche de toute la descente, Mr. Douglas.

Une ou deux fois je l'ai rattrapé, mais je perdais toujours du terrain dans les virages et c'était moi qui avais une trouille bleue en m'imaginant sur cette vieille Raleigh sans freins. Et en même temps je sentais que si on pouvait le faire, si on pouvait vraiment le faire, ça devait être comme de prendre son pied avec une fille ou quelque chose comme ça. C'était la chose la plus excitante au monde. Et chaque fois qu'on a regrimpé le mont Moran il a fait la même chose, sauf qu'il me disait que je pourrais me servir de mes freins six fois, et puis cinq, et puis quatre fois — et à la fin, plus de freins du tout. Et je suivais ce cher vieux salopard sur son vélo de grand-mère et il me battait toujours, mais chaque fois d'un peu moins. Ensuite je payais la tournée, et il me disait comment vivre ma vie. Un jour, il m'a parlé de Brambilla. Et c'est comme ça que j'ai appris à descendre.

Je me suis sauvée de chez moi. Non, la vérité c'est que j'étais déjà partie, dans ma tête en tout cas. Évidemment ils en ont rejeté la faute sur Andy, mais c'est ridicule. Andy était le premier garçon qui me ramenait toujours à la maison à huit heures et demie pile. Il a dit dès le début qu'il devait être au lit à neuf heures, parce que c'était l'heure où Sean Kelly allait se coucher. On aurait pu croire qu'ils approuvaient cela, mais non. Mon père pensait qu'il y avait quelque chose de pas très normal là-dedans. Je lui disais, Papa ça te change d'avoir à attendre jusque après minuit avec une carabine. Mais il ne trouvait pas ça drôle.

Oui, je suppose que pour eux je me suis vraiment enfuie avec Andy. Un jour il m'a dit, je pars courir en France pour gagner ma vie, tu veux venir ? J'ai dit quoi ? Il a dit, retire les freins et puis laisse-toi aller, *whooush !* J'ai dit, *whooush ?* Et il m'a fait un clin d'œil, et puis voilà. Mais je ne serais jamais restée de toute façon. Ce n'est pas de sa faute si je ne vis pas là-bas avec deux mômes, un mal de dos et un boulot à temps partiel dans le meilleur des cas. Ils ne comprenaient pas pourquoi je ne voulais pas écouter les mouettes crier au-dessus du terrain de boules jusqu'à la fin de mes jours. Si c'était ce qu'ils voulaient pour moi, ils n'auraient pas dû me laisser faire de la danse classique. *Home sweet home...* Mon père a même suggéré que j'essaye les boules, le club avait bien besoin d'un peu de sang neuf. Comme Dracula, tu veux dire ? j'ai fait. Ils n'arrêtaient pas de me demander ce qu'Andy et moi avions en commun. Je répondais, eh bien, des jambes pour commencer.

On s'est assis dans le bateau et on a regardé par la grande baie vitrée à l'arrière. Il y avait l'habituelle volée de mouettes, mais je ne pouvais m'empêcher de penser que c'étaient celles du terrain de boules. J'espérais qu'elles finiraient par rebrousser chemin, mais elles continuaient à nous suivre. Il y avait sans doute d'autres raisons à mon énervement, mais je me suis mise à pleurer. Le pauvre Andy ne comprenait pas ce qui se passait. J'ai dit, elles devraient en avoir assez maintenant. Quand il s'est rendu compte que je parlais sérieusement, il est sorti sur le pont et je l'ai vu crier furieusement après les mouettes en agitant les poings. Naturellement elles n'y ont pas prêté la moindre attention, mais c'était vraiment gentil de sa part. J'ai séché mes larmes et je lui ai donné un baiser. J'ai dit quelque chose comme « Qui est mon héros ? », et il a dit quelque chose comme « Je suis un dur, poupée ». C'est un air qu'il se donne quand il parle comme ça. La plupart du temps. Et puis on a essayé tous les deux de ne tenir aucun compte du fait que les mouettes restaient avec nous. Pendant toute la traversée, jusqu'à Calais. À aucun moment elles n'ont fait demi-tour.

Ils nous respectent, vous savez. Les anglophones, comme ils nous appellent. Ils savent qu'on est des durs, qu'on n'a pas fait tout ce chemin pour jeter l'éponge. Ils se souviennent de Tom Simpson comme si ça datait d'hier. Est-ce que vous savez que lorsqu'il est mort sur le Ventoux, c'était le treizième jour du mois et la treizième étape de la course ? Ça donne à réfléchir, pas vrai ? Il est encore un héros ici, celui qui a payé le prix fort. Le lendemain ils ont laissé Barry Hoban gagner en signe de respect. Un Anglais remportant une étape un *quatorze juillet**... Barry Hoban a épousé la veuve de Tom Simpson, est-ce que vous saviez ça ?

Sean Kelly, c'est l'homme de fer. Il mange des clous au petit déjeuner. Vous connaissez cette anecdote à son sujet dans le Tour d'Espagne ? Il avait... ça porte un nom médical, mais j'ai oublié, mais en gros c'est un poil qui pousse vers l'intérieur dans votre postérieur. C'était assez fréquent pendant la guerre, ils appelaient ça le « cul-de-jeep », ça s'attrapait en roulant toute la journée sur le siège dur d'une jeep. C'est la chose la plus douloureuse qui soit, et pourtant c'est seulement un des poils de votre cul qui décide de pousser vers l'intérieur plutôt que vers l'extérieur. C'est tout, mais bientôt il vous vient ce furoncle qui vous fait un mal de chien, et la pire chose que vous puissiez faire dans ces cas-là, c'est de monter sur un vélo. Vous devez vous faire opérer, et ensuite rester assis dans un bain salé pendant plusieurs semaines. Mais bon, Sean Kelly est en bonne position dans ce Tour d'Espagne, alors bien sûr il ne veut pas d'histoires. S'il va voir le médecin du Tour, il sera obligé d'abandonner la course. Alors il fait venir ce chirurgien ou toubib ou peut-être vétérinaire local dans sa chambre d'hôtel et il lui dit, allez-y, faites-le. Et le type le fait, il lui suture le cul et Sean Kelly continue son Tour d'Espagne. C'est pour ça qu'ils nous respectent. On est coriaces. Sean Kelly, c'est l'homme de fer.

On dînait avec Betty et Jean-Luc. Betty est de
Falmouth — elle était sur ce bateau de croisière
avec moi. En fait, c'est elle qui m'a obtenu ce
boulot ici ; la séance d'essai en tout cas. C'était
notre jour de congé et on était allés au restaurant.
On mange toujours tôt, à cause d'Andy. Je n'appelle plus ça un dîner, mais un *steak-salade-à-
sept-heures-dit-Sean.* Non pas qu'il me soit permis
de l'appeler Sean. Andy prononce toujours son
nom en entier, comme si c'était un nom de saint
ou je ne sais quoi. C'est Sean Kelly par-ci et Sean
Kelly par-là et je fais comme lui. La plupart du
temps. Alors Andy parlait de la façon dont les
coureurs se préparent pour une course, et il a
raconté une histoire à propos d'une conférence
de presse au cours de laquelle quelqu'un a
demandé à Sean Kelly ce qu'il faisait au sujet
de... vous-savez-quoi. Je veux dire, naturellement
ils ne le font pas pendant une course, mais est-
ce qu'ils arrêtent avant pour conserver leur énergie... Si j'avais été Sean Kelly, j'aurais été tentée
de donner un bon coup de pompe à vélo sur le
crâne du type, mais il ne l'a pas fait. Il a simplement répondu à la question. Il a dit qu'il avait
pour règle de s'abstenir pendant une semaine
avant une course importante d'une journée, et
pendant six semaines avant un grand tour. Sur
quoi un type dans l'assistance a dit tout haut,
« Alors il y a de fortes chances pour que Linda
soit toujours vierge ». Linda est la femme de Sean
Kelly. Est-ce que vous n'en seriez pas mort d'em-

barras ? Betty et Jean-Luc me regardaient d'un air de dire, est-ce que c'est comme ça pour vous aussi ? Je ne savais plus où me mettre. La plupart des hommes que j'ai connus se seraient plutôt vantés de le faire plus qu'on ne le faisait en réalité. Et voilà qu'Andy faisait presque le contraire. J'ai essayé de lui expliquer après, mais il a dit que j'étais trop susceptible. Il pensait simplement que c'était une histoire drôle.

J'ai peur de ne pas pouvoir y arriver. Ces six premiers jours je me suis donné un mal de chien. Je n'ai jamais été en meilleure forme, et je ne me suis jamais senti aussi fatigué. Hier on a aperçu les Pyrénées au loin. Je ne peux pas y penser, je ne veux pas y penser. Chaque jour c'est cinq, six, sept heures en selle, et puis manger, et puis dormir, et puis réunion de l'équipe et encore sept, huit, neuf heures en selle. Dans cette chaleur. Et après les Pyrénées, les Alpes. Il va falloir que j'aille voir le *soigneur** pour pouvoir grimper quelques-unes de ces côtes, je le sais. Il va me donner quelque chose. Il a intérêt.

Ce n'est pas comme quand j'ai commencé. Tout le monde avait sa petite serviette alors, comme pour aller au bureau. Pleine de friandises. Tu as essayé celle-ci ? Et celle-là ? Voilà un truc qu'il faut prendre un peu avant, et ainsi de suite. Tout le monde avait besoin d'un *whooush !* en même temps. Les amphés ne vous font de l'effet que pendant trois heures environ, alors il fallait en prendre juste avant d'attaquer la vraie montagne. C'était marrant de voir tout le monde en prendre en même temps et puis tous ces petits bouts de papier argenté jetés comme des capsules de bouteilles de lait ou je ne sais quoi, et tout à coup vous sentiez que l'allure devenait plus rapide et tout le monde riait et criait et *whooush !* on s'élançait tous vers le sommet. Ce n'est plus comme ça maintenant. On ne rit plus beaucoup. C'est trouve-moi de l'eau, prends ce message, donne-moi ta roue, à toi de mener. Je croyais que les premiers jours seraient faciles, peut-être même qu'ils me laisseraient passer en tête si je me sentais bien. Mais la vérité c'est que je me sens complètement à plat depuis le prologue.

On pédale dans cette foutue plaine pendant des heures, les yeux fixés sur elles. Je n'ai jamais vu de montagnes aussi hautes. J'ai peur. C'est monter et puis descendre, n'est-ce pas ? C'est vrai, c'est comme ça. Monter, et puis descendre. J'ai peur de ne pas pouvoir y arriver.

En général je ne reviens pas du night-club avant trois heures du matin, si bien qu'à l'heure où je me réveille il est déjà en selle. C'est tellement frustrant, j'allume la télé mais la plupart des maillots se ressemblent à mes yeux et en six jours je ne pense pas l'avoir vraiment aperçu. Quelquefois je suis presque sûre de l'avoir repéré, et puis brusquement ça passe à une vue aérienne et tout ce qu'on voit c'est ce grand serpent de coureurs qui traverse un village. Et à l'heure où sa journée se termine, la mienne ne fait que commencer. Quant aux cartes postales, le moins qu'on puisse dire, c'est que ce n'est pas son fort. J'achète *L'Équipe* tous les jours et je regarde où il était la veille et ce qui l'attend et je fais courir mon index le long de la liste pour voir sa place au classement général. En ce moment il est 152ᵉ sur 178.

Andy vous fait volontiers remarquer, et plutôt deux fois qu'une, à quel point c'est dur de courir. Je lui dis que je suis probablement aussi costaude que lui. Betty et moi travaillons six nuits sur sept — treize shows par semaine. Lui a son *steak-salade-à-sept-heures-dit-Sean* et est au lit à neuf heures, et pendant qu'il roupille tranquillement moi j'ai deux shows à faire. Andy dit que courir, c'est une affaire de caractère, comme si les autres choses ne l'étaient pas aussi. *Monsieur* Thalabert dit qu'il ne choisit jamais une fille sans personnalité et c'est vrai. Nous avons toutes une personnalité, chacune à notre manière. Quand je veux asticoter Andy, je lui dis que n'importe qui peut monter sur un vélo. Je veux dire par là qu'on n'a pas besoin d'avoir un tour de poitrine idéal, et le reste en proportion. On n'a pas besoin de mesurer exactement un mètre soixante-dix. Et il n'y a pas de clause stipulant que vous ne pouvez modifier votre apparence en aucune façon sans l'autorisation de la direction.

Il y a un tas de règles ici, mais c'est pour votre propre protection. Il est interdit de boire dans l'établissement, il est défendu de rencontrer un homme quel qu'il soit à moins de deux cents mètres du club, il faut garder toujours le même poids, il faut arriver à l'heure, vous prenez vos vacances quand on vous dit de les prendre, etc. C'est pour ça qu'ils aiment les Anglaises. On n'a pas seulement le physique qui convient, on est disciplinées aussi. Naturellement, toute fille qu'on surprend en train de se droguer est renvoyée illico chez elle.

Quelquefois je trouve ça bizarre quand je regarde en arrière. Les filles se soutiennent toutes mutuellement, c'est comme une grande famille, et je pense au club comme à mon foyer. Mais je suis partie de chez moi parce que ma mère prenait mon salaire et me donnait de l'argent de poche, tandis que mon père édictait toutes ces règles au sujet de l'heure à laquelle je devais rentrer, de la longueur de mes jupes et de la sorte de garçons que je pouvais rencontrer, et quand, et où. Maintenant *Monsieur* Thalabert met notre argent à la caisse d'épargne et nous protège de la sorte d'hommes qu'il vaut mieux éviter, tandis que *Madame* Yvonne nous couve comme une mère poule. *Chriistiine,* pas cette jupe. *Chriistiine,* fais attention à ce garçon. Et ainsi de suite. Mais

ça ne me gêne pas du tout. Je suppose que c'est
la différence entre le foyer où on grandit et celui
qu'on choisit.

Il y a des gens qui se demandent comment on
peut se déshabiller en public. D'abord je n'ai pas
honte de ce que la nature m'a donné. Et on ne
peut pas vraiment appeler ça se déshabiller, quand
on n'a pas grand-chose sur le corps pour commencer. Comme dit Betty, tout est toujours couvert par quelque chose, même si ce n'est que du
vernis à ongles. Tout est couvert par quelque
chose... On en voit probablement autant d'Andy
quand il est sur son vélo que de moi quand je
suis sur scène. Mamie est venue me voir sans le
dire à maman et à papa. Le spectacle lui a
beaucoup plu. Elle a dit qu'il était plein de goût,
et qu'elle était fière de moi.

Ce coureur, c'était il y a quelques années, il
allait subir un test antidopage ce jour-là. En
principe c'est fait au hasard, mais bon, ça n'était
pas comme maintenant, « viens ici et colle ta
queue dans cette éprouvette », pendant qu'un
type en blouse blanche vous regarde faire. Vous
pouviez parfois le découvrir à l'avance, ce matin-
là en tout cas, et alors vous saviez qu'il fallait
être un peu plus prudent au sujet des petites
gâteries que vous preniez. Quoi qu'il en soit, ce
coureur sait qu'il va subir un test à la fin de la

journée et il en fait dans son froc. Il a un peu forcé sur la dose ces derniers temps, le type à la serviette lui a souvent rendu visite. Alors voilà ce qu'il fait. Il dit à sa copine d'attendre au bord de la route à tel endroit, en pleine cambrousse, là où il n'y a pas grand monde. Et alors, quand le peloton y arrive, il dit qu'il s'arrête pour pisser, ou bien qu'il a aperçu sa nana et qu'il va lui rouler un patin. Bref il s'arrête, et il lui a demandé de tenir prêt un échantillon, un à elle, vous comprenez, dans un sac en plastique ou quelque chose comme ça, alors elle le lui file, et il l'embrasse et le glisse dans son maillot. Alors à la fin de la journée ils lui disent de donner un échantillon et il prend le tube et va dans les toilettes et revient et voilà, simple comme bonjour. Le lendemain matin il est convoqué par les toubibs et il est vraiment surpris, parce qu'il est sûr que le test est négatif. Il se demande bien ce qu'ils lui veulent. Et vous savez ce qu'ils lui disent ? « François — ou quel que soit son nom —, François, la bonne nouvelle est que ton test est négatif. La mauvaise nouvelle, c'est que tu es en cloque. »

Parmi les autres histoires que raconte Andy il y a celle de Linda et Sean Kelly attendant que Stephen Roche passe un test antidopage. C'était pendant l'Amstel Gold Classic de 1984. À Meersten. C'est en Hollande. Vous voyez, je connais tous les détails maintenant. Alors pendant qu'ils attendaient, Linda était assise sur le capot de leur voiture, et quand elle s'est levée elle a laissé une marque là où elle avait posé sa main. Sean Kelly, d'après Andy, est un homme très méticuleux. Il a pris son mouchoir et a essuyé la marque. Il n'a rien dit, il a juste essuyé la marque. Linda lui a dit quelque chose comme « Je vois quelles sont tes priorités, d'abord la voiture, ensuite le vélo et ensuite ta femme ». Sean Kelly la regarde alors, le plus sérieusement du monde, et vous savez ce qu'il dit ? Il dit : « Le vélo vient d'abord. »

On s'entend plutôt bien, Andy et moi. La pire dispute qu'on ait eue, ç'a été dans les premiers temps ici. Je cherchais son nom dans les journaux français, et quand je l'ai trouvé j'ai vu qu'on parlait de lui comme d'un *domestique**. Ça veut dire serviteur en français. Et comme il avait un peu trop joué les machos en parlant de la façon dont les Français respectaient les coureurs britanniques parce qu'ils étaient si coriaces, j'ai dit, alors comme ça tu n'es qu'un serviteur ? Il a répondu que c'était seulement sa deuxième année dans l'équipe, alors bien sûr il devait apporter des bidons aux autres et passer des messages et donner sa roue ou parfois le vélo entier si quelqu'un de plus important en avait besoin, par exemple s'il avait crevé. Il a dit qu'il faisait partie d'une équipe, un pour tous et tous pour un. Je l'ai trouvé un peu grandiloquent, alors au lieu de la boucler j'ai dit que ç'avait plutôt l'air d'être tous pour un et pas tellement un pour tous. Il a rétorqué que je n'en savais foutrement rien, et que pourtant j'aurais dû le savoir, parce que c'était la même chose pour moi quand je dansais, une parmi d'autres, et je ne devais pas faire l'erreur de croire que les gens venaient pour me voir, moi. Je me rappelle exactement ce qu'il a dit ensuite. Il a dit que je n'étais qu'un tout petit morceau de garniture sur une pizza et que je devrais m'en souvenir la prochaine fois que je tortillerais du derrière en public, sauf qu'il n'a pas dit derrière. Et il a ajouté qu'on se ressemblait bien tous les deux. Seulement il n'a pas dit ça gentiment, comme pour suggérer qu'on était bien assortis, deux êtres unis pour affronter le monde, comme c'était le cas au début. Il a plutôt eu l'air de dire que je ne valais pas beaucoup mieux qu'une crotte sur le trottoir, et qu'il ne valait pas beaucoup mieux non plus. Tout s'est déglingué en quelques secondes. Vous connaissez ce genre de sentiment ? Ça me fait toujours penser aux mouettes. Elles n'ont jamais fait demi-tour et rebroussé chemin. Il a agité les bras et crié mais elles n'y ont pas fait attention. Elles nous ont suivis jusqu'au bout.

Vous imaginez combien je me sentais misérable. Il était encore fâché, mais au bout d'un moment on est allés au lit et... eh bien, il n'avait pas de course dans l'immédiat. Sauf que ça ne marche jamais tout à fait dans ces cas-là, n'est-ce pas ? Il y a toujours une partie de vous-même qui pense, je sais pourquoi on le fait, et est-ce que c'est pareil pour toi. Après il a dit, tu ne sais jamais quand tu vas perdre ta roue arrière, pas vrai ? Tu la sens juste partir et puis tu attends que le macadam t'arrache la peau. Il ne pensait pas seulement à moi en disant ça, mais à tout le reste.

Quand Sean Kelly et Linda se sont mariés, devinez ce que les copains de Sean ont fait ? Vous savez que si par exemple c'est un militaire qui se marie, ils tiennent tous leur épée au-dessus de la tête des nouveaux mariés quand ils sortent de l'église ? Eh bien, les copains de Sean Kelly ont tenu en l'air deux vélos de course pour former une sorte d'arche, et Linda et lui sont passés dessous en sortant. Vous ne trouvez pas ça chouette ?

Le prêtre qui les a mariés leur a fait ce laïus comme quoi le mariage est comme le Tour de France, vu qu'il faut parcourir différentes sortes de terrain, et différentes routes, et parfois ça roule bien et parfois c'est plus difficile, et patati et patata. Alors Sean Kelly se lève et voilà ce qu'il dit : « Une chose à propos de l'homélie du Père Butler. Je ne pense pas que le mariage et le Tour de France, ce soit tout à fait pareil. Si les choses vont mal dans une course, on peut toujours abandonner. »

Sauf que ça n'est pas facile non plus. On a un jour de repos avant les Pyrénées. Je ne sais pas si c'est mieux ou pire. Tout le monde a peur de la vraie montagne : elle vous dépouille et vous met à nu, voilà ce qu'ils disent. L'ascension, l'air raréfié, les folles descentes. Ces oiseaux qui planent là-haut. Des gros, de ceux qui mangent des lapins et ce genre de bestiole. Il faut simplement se rappeler que tous les autres ont peur aussi. Et on ne s'y habitue jamais, voilà ce qu'ils disent. Vous avez entendu parler de l'Alpe-d'Huez ? C'est dans les Alpes. Il y avait un coureur, un champion, qui en avait une trouille bleue, alors une année il est allé en vacances là-bas avec son coéquipier. Ils l'ont grimpé vingt fois, jusqu'à ce qu'il n'en ait plus peur. Vingt fois. L'année d'après, quand le Tour a atteint l'Alpe-d'Huez, il n'avait pas peur. C'était une erreur. La montagne n'en a fait qu'une bouchée.

La voiture-balai, c'est comme ça qu'on l'appelle, c'est ça le pire. Elle vous balaie en effet. Elle suit tout le monde avec un balai attaché à son toit, attendant que vous flanchiez. Elle est là tout le temps et hante le dernier homme sur la route. Je l'avais à côté de moi aujourd'hui. Tu veux venir, tu veux rentrer à la maison, c'est une vilaine chute que tu as faite tout à l'heure, les muscles doivent te faire mal maintenant, j'ai une banquette confortable à l'intérieur. Je balaie, je balaie... C'est comme une foutue tentatrice qui vient à côté de vous. Plus besoin de t'en faire, plus besoin de pédaler. Allonge-toi donc sur ma banquette. Prends le raccourci pour rentrer. Personne ne boucle *la Grande Boucle** la première fois, tu as fait plus que ce que chacun attendait de toi. Ne t'esquinte pas pour tout le reste de la saison. Allez, viens à l'intérieur. Je balaie, je balaie, pour que la route reste bien propre et nette. Difficile d'aller chercher de l'eau pour le leader de ton équipe avec vingt-cinq minutes de retard, pas vrai ? Et arrête de déconner avec ces histoires d'amour-propre. Personne ne te reproche quoi que ce soit. Viens à l'intérieur, allonge-toi, ce n'est pas la place qui manque. Je balaie, je balaie... Regarde ces montagnes. Elles vous dépouillent, et elles vous mettent à nu.

Dans les tout premiers temps Andy m'a raconté une autre histoire. Il essayait de m'impressionner en m'expliquant à quel point ils étaient tous des *durs*. J'en suis venue à détester ce mot, vous savez. Donc saint Sean Kelly avait ce problème avec son postérieur. Je ne me souviens pas des détails, sauf que naturellement c'était plus douloureux que tout ce qu'une femme pourrait imaginer. Il a reçu quelques soins et ça a continué à être tout aussi douloureux, mais il a continué à courir quand même. Ce n'était pas en France, ça je m'en souviens pour une raison ou pour une autre. Bref, quand Andy a eu fini de raconter son histoire j'ai bien vu que j'étais censée être impressionnée, mais ça paraissait... pas vraiment stupide, mais disons que je n'étais pas béate d'admiration. Alors j'ai dit, qu'est-ce qui est arrivé ? Andy a dit, comment ça qu'est-ce qui est arrivé ? J'ai dit, alors Sean Kelly a gagné la course ? Andy a dit non, et j'ai dit, eh bien alors ça n'en valait pas la peine, n'est-ce pas ? Et je voyais qu'il commençait à s'énerver. Il a dit bon, je vais te le dire ce qui est arrivé, puisque ça a l'air de tellement te passionner. Ce qui est arrivé, c'est qu'il a continué la course, et un jour ou deux plus tard les points de suture ont craqué alors qu'il était en selle et son short était plein de sang et il a dû abandonner, maintenant tu comprends pourquoi je l'admire ? J'ai dit oui, mais je ne suis pas sûre que c'était bien ce que je voulais dire.

Mr. Douglas m'a parlé de Brambilla. Ce nom ne vous dira rien si vous n'êtes pas l'un des nôtres. C'était un Italien. Il y a longtemps de ça. Il a perdu le Tour le tout dernier jour, ce qui n'arrive pas souvent. Mais ce n'est pas pour ça que Mr. Douglas m'a parlé de lui. C'était un vrai pro. Un dur. Quand il estimait qu'il courait mal il se donnait des claques et se frappait avec sa pompe à vélo et s'interdisait de boire de l'eau, même s'il lui en restait un peu. Un rude gaillard. Il faut être un peu dingue aussi pour faire ce qu'on fait. Bref, c'était un coureur réputé, et il avait eu une bonne carrière, et il commençait à se faire vieux. Et un jour ses copains sont allés le voir, et ils l'ont trouvé au fond de son jardin. Il avait creusé une sorte de fosse, enfin plutôt une tranchée étroite mais profonde. Et vous savez ce qu'il faisait ? Il enterrait sa bicyclette. Il l'enterrait debout, comme elle était quand il roulait dessus. Et ses copains lui ont demandé ce qu'il fabriquait là. Et Brambilla leur a dit ce qu'il faisait. Il enterrait son vélo parce qu'à son avis il n'était plus digne de s'en servir. Mr. Douglas m'a dit que je ne devais jamais oublier cette histoire, et je ne l'ai pas oubliée.

Ermitage

Elles la virent du vapeur de Pauillac, avec sa façade criblée de trous que le soleil de ce début d'après-midi n'éclairait encore qu'en partie. Elles avaient embarqué à Bordeaux, près de la place des Quinconces, à onze heures, et pris place dans des fauteuils en rotin, sous une tente rayée. Sur le pont avant, juste au-dessous d'elles, étaient regroupés les passagers de troisième classe, avec leurs animaux de ferme, une foule animée et bruyante. Florence se sentait comme vidée de toute substance au spectacle de cette vivacité ordinaire que la chaleur ne décourageait pas ; Emily, au contraire, semblait s'en nourrir.

« Regarde cet homme, Florence. Il ne fait pas que parler, il... il *danse* sa conversation.

— Je suppose qu'il est en train de dire quelque chose de très banal.

— Alors, répliqua Emily sans se laisser démonter, alors ses manières lui permettent de transcender le banal. » Elle sortit son carnet à croquis et se mit à dessiner l'individu gesticulant, avec son nez pointu, sa tête nue, sa blouse bleue, sa courte pipe et ses mains agiles.

« J'aimerais pouvoir découvrir autant de transcendance que toi, ma chère Emily. Tu sembles la voir tout autour de toi. Et maintenant tu transcendes cet homme encore un peu plus en le projetant dans le monde de l'art.

— Tu ne me gâcheras pas mon plaisir. Et d'ailleurs, nous croyons tous en une transcendance. Tu la déguises simplement en l'appelant amélioration pratique. »

Elles restèrent silencieuses un moment — deux Anglaises entre trente et quarante ans, portant chacune un chapeau de marin et des souliers marron —, tandis que le vapeur dépassait une forêt de mâts. Mais ici les sirènes des bateaux étaient les seuls chants d'oiseaux. Un remorqueur baptisé *Hercule* laissait un sillage d'écume sur le fleuve *café au lait** ; des bacs de moindre importance passaient rapidement devant leur proue comme des araignées d'eau. Cela faisait trois semaines qu'elles étaient parties, et elles se trouvaient au point le plus méridional de leur voyage. Bientôt, comme tous les ans, elles s'en retourneraient vers leurs deux villages de l'Essex, vers les vents de l'Oural et la froide conversation des cultivateurs de navets. Bien sûr, ces lourdauds cultivaient autre chose que des navets, mais c'était ainsi que, dans leurs conversations privées, Florence et Emily les désignaient invariablement.

« Je ne me marierai jamais », dit soudain Florence. Le ton de sa voix suggérait qu'elle constatait simplement un fait, sans regret.

« En tout cas, dit à son tour son amie — faisant ainsi écho à l'idée exprimée et la reprenant peut-être à son compte —, il est bien connu qu'un cultivateur de navets est complètement insensible à la moindre transcendance. »

Le petit vapeur allait d'une rive à l'autre, prenant et déposant des marchands et des paysans, des animaux de ferme et des prêtres. La Garonne se joignit à la Dordogne et devint la Gironde. Le vent gonflait la jupe d'Emily, et elle posa dessus une carte où figuraient les différents *châteaux** du Médoc. Elle leva une petite paire de jumelles devant ses lunettes et adopta cette attitude penchée d'érudit que connaissait bien sa compagne de voyage. Quand elles passèrent devant Beychevelle, Emily expliqua que ce vignoble avait jadis appartenu à un amiral, qu'à cette époque tout navire remontant ou descendant le fleuve avait dû *baisser la voile** en signe de respect, et que cette locution s'était ensuite altérée pour former le nom actuel.

« Un joli conte », dit Florence d'un ton enjoué.

Emily montra au passage où se trouvaient Margaux et Ducru-Beaucaillou, Léoville-las-Cases et Latour, en ajoutant à chaque nom des enjolivements tirés de son Baedeker. Après Latour, le bateau longea la rive en direction de Pauillac. Les vignobles striés fuyaient à l'horizon sous leurs yeux, pareils à du velours côtelé vert.

Un embarcadère délabré apparut, puis un rectangle de velours côtelé à moitié taché de noir. Et puis, un peu plus haut, une façade plate ocrée par le soleil, et une courte terrasse cachant à demi les fenêtres du rez-de-chaussée. Après une légère mise au point, Emily remarqua que plusieurs balustres manquaient au balcon de la terrasse, et que d'autres étaient tout de travers. Florence prit les jumelles. De grands trous défiguraient la façade, certains carreaux du haut étaient cassés, tandis que le toit semblait avoir été affecté à un programme d'agriculture expérimentale.

« Pas vraiment notre ermitage, dit-elle.

— Alors on remet la visite à demain ? »

Cet amusant passe-temps avait évolué au cours de leurs deux derniers voyages annuels en France. Des coups d'œil nonchalants suggéraient une existence différente : dans une maison de ferme normande en bois, un coquet *manoir** bourguignon, un petit château berrichon perdu en pleine campagne. Depuis quelque temps, cependant, ce jeu se teintait d'une certaine gravité, une gravité qu'aucune d'elles n'était vraiment disposée à admettre. Alors Florence annonçait que leur ermitage n'avait pas encore été trouvé, et peu après elles visitaient l'endroit.

Le Château Dauprat-Bages n'avait pas été répertorié dans la grande Classification de 1855. C'était un modeste *cru bourgeois**, seize hectares plantés de cabernet sauvignon, de merlot et de petit verdot. Au cours des dix dernières années le phylloxéra avait noirci son velours côtelé vert, et son propriétaire affaibli et appauvri avait fait quelques tentatives pour replanter. Il était mort trois ans plus tôt, laissant tout à un jeune neveu qui vivait à Paris, préférait par snobisme le bourgogne, et cherchait à se défaire au plus vite du Château Dauprat-Bages. Mais aucun des domaines voisins ne voulait de ces vignes malades. Le *régisseur** et l'*homme d'affaires** avaient donc continué à travailler tant bien que mal, produisant un vin dont même eux reconnaissaient qu'il était tombé au niveau d'un *cru artisan**.

Quand Florence et Emily y retournèrent pour leur seconde visite, *Monsieur* Lambert, *l'homme d'affaires** — petite taille, costume noir, casquette de feutre, moustache pointue, manières à la fois tatillonnes et autoritaires —, se tourna brusquement vers la seconde, qu'il estimait être la plus jeune, et donc la plus dangereuse des deux, et lui demanda d'un ton impérieux : « *Êtes-vous américaniste* ?* »

Se méprenant sur le sens de sa question, elle répondit : « *Anglaise**.

— *Américaniste* ?* répéta-t-il.

— *Non** », répondit-elle, et il poussa un grognement d'approbation. Elle eut l'impression d'avoir passé un test, sans qu'on lui eût dit de quel test il s'agissait.

Le lendemain matin, tandis qu'elles prenaient un petit déjeuner composé d'huîtres et de saucis-

ses chaudes dans leur hôtel — l'*Hôtel d'Angleterre* — de Pauillac, Florence dit pensivement :
« On ne peut pas dire que le paysage soit très
varié ici. Il n'y a guère que quelques dénivella-
tions pour en briser la monotonie.

— Alors ça ne nous changera pas entièrement
de l'Essex. »

Elles remarquaient toutes les deux ce glisse-
ment progressif du conditionnel vers le présent
ou le futur. Cela faisait maintenant cinq ans
qu'elles voyageaient ensemble chaque été en
France. Dans les hôtels elles partageaient le même
lit ; pendant les repas elles s'autorisaient un peu
de vin ; après le dîner Florence fumait une seule
cigarette. Chaque fois c'était une évasion grisante,
qui constituait, par rapport à leur vie parmi les
cultivateurs de navets, à la fois une justification
et un désaveu. Jusque-là leurs escapades chez les
Français avaient été insouciantes et frivoles. Emily
avait maintenant le sentiment que quelque chose
— non pas le destin, mais l'entité plus modeste
qui dirigeait leur existence — la mettait au pied
du mur et lui disait « chiche ».

« Mais c'est ton argent, dit-elle — reconnaissant par là même que les choses étaient devenues
vraiment sérieuses.

— C'était l'argent de mon père, et je n'aurai
pas d'enfants. »

Florence — une femme plus corpulente et
légèrement plus âgée que son amie — avait une
façon détournée d'annoncer ses décisions. Elle

était brune et robuste, et encline en apparence à une sorte de pessimisme pragmatique. En réalité elle était à la fois plus capable et plus douce qu'elle n'en avait l'air, en dépit d'une préférence avouée pour les aspects les plus généraux de n'importe quel projet. On pouvait toujours compter sur Emily pour s'occuper des détails ; Emily, mince, blonde, méticuleuse, qu'on voyait toujours scruter, à travers les verres de ses lunettes cerclées d'or, quelque carnet, bloc à dessins, horaire, journal, menu, guide Baedeker, carte, ticket, ou clause légale ; Emily, toujours inquiète et pourtant optimiste, qui disait maintenant d'un air songeur : « Mais nous ne connaissons rien à la fabrication du vin.

— Nous ne sollicitons pas des emplois de *vendangeuses**, répondit Florence avec hauteur — une hauteur nonchalante qui n'était pas entièrement feinte. Mon père ne savait pas comment la scierie fonctionnait, mais il savait que les messieurs ont besoin de bureaux. D'ailleurs, je suis sûre que tu vas étudier la question. Ça ne peut pas être plus compliqué que... que les cathédrales. » C'était à un exemple récent qu'elle avait ainsi recours, car à son avis elles avaient passé un peu trop de temps devant la statue de Bertrand de Goth, archevêque de Bordeaux et futur pape Clément V, tandis qu'Emily discourait sur les arcs romans de la nef, qui dataient du XIIe siècle, et le chœur à doubles stalles qui, lui, datait d'un autre siècle — antérieur ou postérieur, elle ne s'en souvenait plus.

Le neveu amateur de bourgogne accepta l'offre de Florence, et elle vendit sa maison dans l'Essex. Emily informa son frère Lionel, le notaire, qu'il devrait se trouver quelqu'un d'autre pour tenir sa maison (ce qu'elle rêvait de faire depuis plusieurs années). Au printemps de 1890 les deux femmes allèrent s'installer définitivement en France, sans rien emporter qui leur rappellerait trop directement l'Angleterre, à l'exception de la vieille horloge qui avait égrené chaque heure de l'enfance de Florence. Alors que leur train quittait le quai de la gare d'Orléans, Emily se laissa aller à exprimer une dernière inquiétude.

« Tu ne t'ennuieras pas ? Je veux dire, en ma compagnie. Il ne s'agit plus d'une simple escapade.

— J'ai décidé que ce *château** porterait ton nom, répondit Florence. Je trouve décidément que "Dauprat-Bages" est par trop prosaïque. » Elle repiqua les épingles de son chapeau, comme pour écarter toute protestation. « Pour ce qui est des cultivateurs de navets, je ne pense pas que leur souvenir s'effacera de sitôt. Quels danseurs ! Quand ces lourdauds vous marchent sur les pieds, c'est tout juste s'ils s'en aperçoivent ! »

Mme Florence et Mme Emily rengagèrent M. Lambert en tant qu'*homme d'affaires** et M. Collet en tant que *régisseur**, à des conditions plus avantageuses pour eux. M. Lambert leur trouva alors une gouvernante, trois ouvriers, une bonne et un jardinier. Le toit fut débarrassé de sa végétation, les balustres furent réparés, on reboucha les trous de la façade et on reconstruisit l'embarcadère. Florence s'occupait de la maison et présidait aux destinées du *potager** nouvellement planté ; Emily se chargeait de tout ce qui concernait la vigne. La commune de Dauprat accueillit favorablement les deux femmes : elles donnaient du travail à plusieurs personnes, et désiraient rendre à un vignoble malade son ancienne prospérité. Personne n'éleva d'objection quand le Château Dauprat-Bages devint le Château Haut Railly. Sans doute *les Anglaises** n'étaient-elles pas très pieuses, mais elles invitaient le curé à prendre le thé chaque année en novembre, et assistaient gravement à sa bénédiction des vignes en avril. Les quelques excentricités observées pouvaient être attribuées distraitement à l'existence indigente qu'elles avaient dû mener dans cette île lointaine au climat froid et humide, auquel pas même un vin d'Alsace ne pouvait s'adapter. On remarqua, par exemple, qu'elles étaient très férues d'économie domestique. Une volaille rôtie pouvait leur durer une semaine ; le savon et la ficelle étaient utilisés jusqu'au dernier centimètre ; elles ménageaient leurs draps en partageant le même lit.

Vers la fin septembre, une bande de joyeux rustres arriva pour la *vendange** ; on leur servit de copieux dîners et on leur permit de boire

autant de *petit vin** de l'année précédente qu'ils
voulaient. Florence et Emily furent frappées de
constater qu'aucune ivrognerie ne s'ensuivait.
Elles furent aussi surprises de voir des hommes
et des femmes travailler harmonieusement côte
à côte dans les vignes. M. Lambert expliqua que
les femmes étaient moins bien payées, pour la
raison qu'elles parlaient plus. Puis, avec quelques
malicieux hochements de tête, il décrivit une
certaine coutume locale. Il était strictement interdit à tous les *vendangeurs** de manger le raisin
qu'ils cueillaient, et à la fin de chaque matinée
les femmes devaient montrer leur langue au chef
d'équipe. Si elle était pourpre, le chef d'équipe
avait le droit de réclamer un baiser en guise de
punition. Florence et Emily gardèrent pour elles
la réflexion que cela semblait quelque peu primi-
tif, tandis que l'*homme d'affaires** concluait, avec
un clin d'œil qui frisait l'impertinence : « Naturellement, quelquefois elles en mangent exprès. »

Lorsque la première récolte fut à l'abri dans
les cuves, le *bal des vendangeurs** put avoir lieu.
Des tables à tréteaux furent installées dans la
cour, et en cette occasion les effets de l'alcool se
firent plus volontiers sentir. Deux violons et un
accordéon entraînèrent les vendangeurs aux jambes lourdes de fatigue dans des danses qui, même
dans ces conditions, témoignaient d'une grâce et
d'une énergie dont auraient été bien incapables
les plus sobres cultivateurs de navets. Comme il
y avait moins de femmes que d'hommes, Florence

demanda à M. Lambert s'il était possible, du point de vue des convenances, qu'il serve de cavalier à la nouvelle propriétaire du domaine. L'*homme d'affaires** déclara qu'une telle suggestion était un honneur pour lui — mais il lui semblait, si *Madame* sollicitait son avis, que d'autres, dans la même situation, choisiraient plutôt de regarder le bal du haut bout de la table. Florence se contenta donc de marquer le rythme du pied, irritée mais résignée, pendant que des Français minces et nerveux faisaient virevolter des femmes qui pour la plupart étaient plus grandes, plus replètes et plus âgées qu'eux. Au bout d'une heure environ, M. Lambert frappa dans ses mains, et la plus jeune des *vendangeuses** apporta timidement un bouquet d'héliotropes à Florence et un autre à Emily. Celle-ci prononça quelques mots de remerciements et de félicitations, après quoi les deux femmes allèrent se coucher et écoutèrent de leur lit le tourbillon sonore qui leur parvenait de la cour, par la fenêtre ouverte, sérénade où se mêlaient le bruit des pieds frappés en cadence sur le sol, le crissement des violons et l'infatigable alacrité de l'accordéon.

Emily devint, à l'indulgente consternation de Florence, encore plus savante en matière de viticulture que d'architecture religieuse. Les choses étaient d'autant plus embrouillées pour la seconde que la première connaissait rarement le mot anglais correct pour chaque terme français qu'elle utilisait. Assise dans un fauteuil en rotin sur la terrasse, les cheveux flottants de sa nuque tout brillants de soleil, elle parlait à Florence des ennemis parasitaires et des maladies cryptogamiques de la vigne. *Altise,* entendait Florence, et *rhynchite ; cochenille, grisette, érinose ;* il y avait des bêtes monstrueuses appelées *éphippigère de Béziers* ou *vespère de Xatart ;* et puis il y avait *le mildiou* et *le black-rot* (cela au moins elle le comprenait), *l'anthracnose* et *le rot blanc.* Émily voyait ces calamités illustrées en couleurs tandis qu'elle parlait : des feuilles déchiquetées, des taches malsaines et des rameaux meurtris se reflétaient dans les verres de ses lunettes. Florence s'efforçait de se montrer intéressée.

« Qu'est-ce qu'une maladie cryptogamique ? demanda-t-elle un jour consciencieusement.

— Les cryptogames, selon Linné, comprennent les plantes qui n'ont pas d'étamines ou de pistil, et donc pas de fleurs, comme les mousses, les algues, les champignons. Les lichens aussi. Ce mot signifie en grec "mariage caché".

— Cryptogames, répéta Florence comme une élève.

— C'est la dernière classe de plantes de Linné », ajouta Emily. Elle arrivait au bout de ses connaissances sur la question, mais elle était contente de voir que Florence la suivait pour une fois sur ce terrain.

« La dernière, mais certainement pas la moindre.

— Je ne sais pas si de telles catégories impliquent un jugement moral...

— Oh ! je suis sûre que non », affirma Florence d'un ton assuré, bien qu'elle ne fût pas botaniste. « Mais comme il est triste que certains de nos ennemis soient cryptogamiques », ajouta-t-elle.

La discussion qu'eut Emily avec M. Lambert au sujet de ces mêmes maladies fut moins rudimentaire, mais aussi moins satisfaisante. Il lui paraissait évident que les recherches de l'École nationale d'agriculture de Montpellier étaient convaincantes, et qu'il fallait remédier aux ravages causés par le phylloxéra en greffant des cépages indigènes sur des plants américains. C'était aussi l'avis du professeur Millardet de Bordeaux, même si la presse viticole s'était fait l'écho de vives divergences de vues sur la question.

Pour M. Lambert ce n'était pas du tout aussi évident ; il pensait même exactement le contraire. Il rappela à Mme Emily, qui n'était que depuis peu dans le Médoc, que la vigne européenne, malgré ses nombreuses variétés, consistait en une seule espèce, *vitis vinifera,* alors que les vignes américaines comprenaient presque deux douzaines d'espèces différentes. La vigne européenne avait subsisté dans un état de santé presque parfait pendant plus de deux millénaires, et les maladies qui l'affectaient maintenant étaient entièrement dues, comme il avait été prouvé de la façon la plus formelle, à l'introduction de vignes américaines en France. C'est ainsi, poursuivit-il

— et à ce moment Emily commença à soupçonner qu'ils avaient lu le même livre —, c'est ainsi que sont apparus l'oïdium en 1845, le phylloxéra en 1867, le mildiou en 1879, et le black-rot en 1884. Quelle que fût l'opinion des professeurs d'université sur la question, ses collègues viticulteurs étaient d'avis que lorsqu'on était confronté à une maladie, on ne la soignait pas en important sa cause. Autrement dit, si vous aviez un enfant atteint de pneumonie, vous ne cherchiez pas à le guérir en mettant dans son lit un autre enfant déjà grippé.

Quand Emily revint malgré tout sur ses arguments en faveur de la greffe, les traits de M. Lambert se durcirent et il fit claquer sa casquette de feutre contre sa cuisse. « *Vous avez dit que vous n'étiez pas américaniste** », lâcha-t-il abruptement, comme pour mettre un terme à leur discussion.

Ce n'était que maintenant qu'elle avait étudié le problème qu'elle pouvait saisir le sens de la question qu'il lui avait posée lors de leur seconde visite. Le monde ici se divisait en *sulfureurs** et en *américanistes** : ceux pour qui le salut ne pouvait venir que du traitement de vignes purement françaises au moyen de produits chimiques, et ceux qui voulaient transformer ces vignobles en quelque nouvelle Californie. Sa réponse à M. Lambert avait involontairement persuadé celui-ci qu'elle était un *sulfureur**, ou plutôt, comme il disait maintenant avec ce qui pouvait être aussi bien une correction linguistique qu'un

léger sarcasme, une *sulfureuse**. Si elle lui disait
à présent qu'elle avait changé d'avis et était une
*américaniste** en fin de compte, M. Collet et lui-
même, si reconnaissants qu'ils fussent envers
Mme Florence et Mme Emily, se sentiraient pour
le moins déçus.

« Comment pourrions-nous en décider ? répondit Florence quand Emily lui expliqua le dilemme.

— Eh bien, nous... tu es la propriétaire. Et j'ai
lu la presse viticole la plus récente.

— Mon père n'a jamais su comment la scierie
fonctionnait.

— Malgré tout, je suppose que les pieds de
ses bureaux ne se détachaient pas tout seuls.

— Ma chère Emily, dit Florence, tu te fais
tellement de souci... » Elle sourit, puis eut un
petit rire plein d'indulgence. « Et désormais je
penserai à toi comme à ma *sulfureuse**. Le jaune
t'est toujours bien allé. » Elle rit de nouveau.
Emily se rendit compte que le problème avait
été à la fois esquivé et réglé par Florence : c'était
souvent le cas avec elle.

Ce que Florence appelait « souci » était pour
Emily un authentique intérêt pour l'exploitation
du domaine. Elle proposa d'agrandir le vignoble
en plantant les prairies basses situées près du
fleuve, mais on lui fit remarquer qu'elles étaient
trop saturées d'eau. Elle répondit qu'ils pourraient faire venir des assécheurs de marais d'East
Anglia — en fait, elle savait exactement quels
draineurs embaucher ; mais on lui dit que de

toute façon le sous-sol de ces prairies en pente
douce n'était pas propice à la culture de la vigne.
Ensuite elle proposa d'utiliser des chevaux anglais
pour travailler la terre, au lieu de bœufs. M. Lambert l'emmena dans le vignoble et ils attendirent
au bout d'une rangée de petit verdot, tandis
qu'une paire de bœufs harnachés et encapuchon-
nés comme des religieuses à cause des mouches
avançait vers eux. « Regardez, dit-il, les yeux
brillants, regardez cette façon qu'ils ont de lever
et de poser leurs pieds. N'est-ce pas aussi gracieux qu'aucun des menuets qu'on ait jamais
dansés dans toutes les salles de bal de l'Europe ? » Emily répondit en vantant la force, la
docilité et l'intelligence des chevaux anglais ; et,
cette fois, elle fit preuve de persévérance et eut
le dernier mot. Quelques mois plus tard, une
paire de robustes chevaux de trait au pied léger
arriva à Haut Railly. On les mit à l'écurie, on les
fit se reposer et on les admira. Elle ne sut jamais
vraiment ce qui s'était passé ensuite : ces chevaux
s'étaient-ils révélés trop maladroits, ou les hommes trop peu habiles à les diriger ? Toujours est-
il que les chevaux ne tardèrent pas à goûter une
paisible retraite anticipée sur les prairies basses
du domaine, souvent montrés du doigt par les
passagers du vapeur de Pauillac.

Ce bateau, quand il n'était pas trop chargé,
acceptait parfois de s'arrêter au débarcadère en
pierre tout neuf de la propriété. Ces apponte-
ments, Emily apprit qu'on les appelait dans la

région des *ports*. Elle devina que si on leur donnait ce nom, c'était parce qu'ils n'étaient pas destinés à servir de lieu d'amarrage à des bateaux de plaisance, mais de point d'embarquement pour les marchandises : il était évident, en particulier, que dans le passé le vin du domaine avait été acheminé jusqu'à Bordeaux pour la mise en bouteilles par voie fluviale plutôt que par voie de terre. Elle donna donc pour instruction à M. Lambert d'envoyer la prochaine cuvée de cette façon, et il parut accepter cet ordre. Mais une semaine plus tard, Florence l'informa que la gouvernante avait parlé de rendre son tablier en versant une impressionnante quantité de larmes, parce que si *Madame* ne voulait pas employer son frère le charretier, elle-même ne pourrait pas continuer à travailler pour *Madame,* étant donné que son frère était veuf et père de nombreux enfants et dépendait pour sa subsistance de ce contrat de charriage avec le domaine. Florence avait bien sûr répondu qu'elles n'en avaient rien su et qu'elle, Mme Merle, ne devait pas se tracasser à ce sujet.

« Est-ce que ce paresseux ne peut pas se mettre aussi au transport fluvial ? demanda Emily d'un ton plutôt sec.

— Ma chère, nous ne sommes pas venues ici pour troubler leur existence, mais pour la tranquillité de la nôtre. »

Florence s'était adaptée au Médoc avec un prompt contentement qui ressemblait fort à de l'indolence. Pour elle l'année n'allait plus de janvier à décembre, mais d'une récolte à une autre. En novembre ils sarclaient et fumaient le vignoble ; en décembre ils le labouraient légèrement pour le protéger des gelées hivernales ; le 22 janvier, le jour de la Saint-Vincent, ils commençaient à tailler ; en février et mars ils labouraient pour ouvrir les sillons ; et en avril ils plantaient. Juin voyait la floraison, juillet les pulvérisations et un dernier émondage ; en août se produisait la *véraison**, ce miraculeux phénomène annuel qui fait passer le raisin du vert au pourpre ; septembre et octobre apportaient la *vendange**. Florence, qui observait tous ces événements de sa terrasse, avait conscience d'une inquiétude permanente au sujet de la pluie et de la grêle, du gel et de la sécheresse ; mais les gens de la campagne étaient partout obsédés par le temps, et elle décida, en sa qualité de propriétaire, de s'exempter de telles anxiétés. Elle préférait se concentrer sur ce qu'elle aimait : les pampres enveloppant de leurs bras de pieuvre les fils de soutien ; les lents grincements et tintements tandis que les bœufs couleur de sable avançaient majestueusement à travers les vignes ; l'odeur hivernale d'un feu de sarments. Vers la fin de l'automne, quand le soleil ne s'élevait pas très haut dans le ciel, elle s'asseyait le matin dans son fauteuil en rotin avec un bol de chocolat, et en raison de son angle visuel aplati, toutes les couleurs rouillées de la saison s'intensifiaient : rouge feu, ocre, et pourpre clair. Ceci est notre ermitage, pensait-elle.

Chaque année s'achevait donc pour elle par la fête mobile du *bal des vendangeurs**. Se souvenant des réticences manifestées par M. Lambert la première fois, elle fit plusieurs voyages mystérieux à Bordeaux au cours de l'été 1891. Leur objet devint clair lorsque, pour fêter la seconde récolte de Château Haut Railly, elle apparut vêtue d'un magnifique habit de soirée : veste et pantalon de serge noire et gilet de soie blanche, le tout coupé avec une élégante excentricité par un tailleur français ébahi. Emily portait la même robe jaune que l'année précédente, et quand le festin servi sur les tables à tréteaux toucha à sa fin et que les violons et l'accordéon commencèrent à jouer, les *dames anglaises** se levèrent et dansèrent sur des airs peu familiers, mais endiablés. Mme Florence fit virevolter Mme Emily, imitant passablement les minces et nerveux *vendangeurs** moustachus, qui pour leur part firent valoir la démocratie de la piste de danse en défendant leur territoire de l'épaule et de la hanche. Au bout d'une heure les deux femmes s'aperçurent, au beau milieu d'une danse, que tous les autres s'étaient estompés aux confins de leur conscience et qu'elles étaient les propriétaires d'un espace vide. Quand la musique cessa, les autres danseurs applaudirent, M. Lambert frappa sèchement dans ses mains, la plus jeune des *vendangeuses** apporta deux bouquets d'héliotropes, Emily fit son petit discours, qui ne différait pas essentiellement du précédent, si ce n'est par un accent amélioré, et les *dames anglaises** se retirèrent dans leur chambre. Florence suspendit à un portemanteau son habit de soirée, qui n'en serait pas décroché avant l'automne suivant. Une fois couchée, dans l'obscurité, elle bâilla de fatigue et revit en pensée Emily, à moitié aveugle sans ses lunettes, ballottée et tourbillonnante au milieu de la cour dans sa robe jaune. « Bonne nuit, *ma petite sulfureuse** », murmura-t-elle avec un petit rire endormi.

La plus grande crise dans la gestion du Château Haut Railly survint au cours de l'été 1895. Un matin Emily remarqua que le frère de la gouvernante déchargeait des tonneaux à la porte du *chai**. Elle le regarda faire sans se rendre compte tout de suite qu'il y avait quelque chose d'anormal dans la façon dont il les soulevait de sa charrette et les posait lourdement, avec un bruit sourd, sur le sol de la cour. Bien sûr, il était évident — il aurait dû être immédiatement évident — que ces tonneaux étaient pleins.

Une fois le charretier parti, elle alla voir le *régisseur**. « *Monsieur* Collet, j'ai toujours compris que nous faisions du vin ici. » Le *régisseur**, un homme dégingandé et taciturne, aimait et respectait ses employeuses, mais il savait qu'elles préféraient aborder n'importe quel sujet d'une manière ironique ou indirecte. Il sourit donc et attendit que Mme Emily en vînt au fait.

« Venez avec moi. » Elle le précéda jusque dans la cour et s'arrêta devant l'objet du litige. Une douzaine de petits tonneaux, soigneusement empilés, qui ne portaient apparemment aucune marque d'identification. « D'où viennent-ils ?

— De la vallée du Rhône. Du moins c'est de là qu'ils sont censés venir. » Voyant que Mme Emily gardait le silence, il continua obligeamment : « Bien sûr, dans le temps c'était plus difficile. Mon père devait apporter du vin de Cahors en descendant la Dordogne. Et puis ils ont créé la ligne de chemin de fer Sète-Bordeaux. Ç'a été un grand progrès.

— *Monsieur* Collet, pardonnez-moi, mais ma question est la suivante : si nous faisons du vin ici, pourquoi en importons-nous ?

— Oh, je vois. *Pour le vinage**. »

Émily n'avait encore jamais lu ou entendu ce mot. « *Vinage** ?

— Pour qu'on l'ajoute à notre vin. Pour le rendre meilleur.

— Est-ce que c'est... est-ce que c'est légal ? »

M. Collet haussa les épaules. « À Paris ils font des lois. Dans le Médoc on fait du vin.

— *Monsieur* Collet, dois-je comprendre que vous, qui êtes chargé de fabriquer notre vin, frelatez le Château Haut Railly avec je ne sais quelle saleté venue de la vallée du Rhône ? Vous faites cela sans permission ? Vous faites cela tous les ans ? »

Le *régisseur** comprit qu'une simple explication

factuelle ne suffirait pas. C'était toujours la plus jeune *Madame* qui leur causait des problèmes. Elle avait, à son avis, une propension à l'hystérie, alors que Mme Florence était beaucoup plus calme. « Tradition est permission », répondit-il. L'expression de Mme Emily lui fit comprendre que la formule consacrée de son père restait sans effet en l'occurrence. « Non, *Madame,* pas tous les ans. Nous avons eu un vin de qualité très médiocre l'an dernier, comme vous savez, alors c'est nécessaire. Sinon personne ne l'achètera. S'il était un peu meilleur, nous pourrions peut-être l'améliorer avec un peu de notre propre vin, quelques tonneaux de 93. C'est ce qu'on appelle le *coupage**, ajouta-t-il non sans appréhension, ne sachant pas s'il aggravait ou atténuait ainsi sa faute présumée. Mais l'année dernière il était vraiment médiocre, c'est pourquoi nous avons besoin de ces tonneaux... *pour le vinage**. »

Ce que fit alors Mme Emily le prit au dépourvu. Elle courut au magasin et en revint avec un maillet et un ciseau à bois. Quelques instants plus tard, une douzaine de trous avaient été percés et le bas de sa robe était taché par l'âcre liquide rouge qui s'en écoulait et qui était considérablement plus corsé que le Château Haut Railly de 1894 entreposé à quelques dizaines de mètres de là.

M. Lambert, alerté par les coups de maillet, accourut de son bureau et tenta d'apaiser Mme Emily en introduisant une perspective historique dans la situation. Il lui parla des *vins*

d'aide*, comme on les appelait, et de la prépara-
tion du vin pour le *goût anglais**, comme on disait
dans le Médoc, et lui expliqua que le vin que le
gentleman anglais servait à ses invités au dîner
était très rarement de même composition que
celui qui avait quitté tel ou tel domaine quelques
mois ou quelques années plus tôt. Il évoqua un
certain breuvage espagnol appelé Benicarlo.

Emily le regardait, incrédule et furieuse. « *Monsieur* Lambert, je ne vous comprends pas. Dans
le passé vous m'avez sévèrement fait la leçon au
sujet de la pureté des vignobles du Médoc, vous
m'avez dit que les vignes françaises ne devaient
pas être dénaturées avec des plants américains.
Et pourtant vous versez allégrement des tonneaux de... de ceci dans ce que ces mêmes vignes
produisent.

— *Madame* Émily, permettez-moi de formuler
les choses ainsi. » Ses manières se firent avuncu-
laires, presque cléricales. « Quel est le meilleur
vin du Médoc ?

— Château Latour.

— Bien sûr. Et connaissez-vous le verbe *her-
mitager** ?

— Non. » Décidément son vocabulaire s'enri-
chissait aujourd'hui.

« Ça signifie mettre du vin d'Hermitage, un vin
du Rhône comme vous savez peut-être, dans un
bordeaux rouge. Pour lui donner du corps. Pour
accentuer ses qualités.

— Ils font cela à Latour ?

— Peut-être pas dans le domaine lui-même. Aux Chartrons, à Londres... Le négociant, l'expéditeur, l'embouteilleur... » Les mains de M. Lambert parurent invoquer quelque nécessaire et salutaire conspiration. « Cela doit être fait les années où la production est médiocre. Cela a toujours été fait. Tout le monde le sait.

— Est-ce qu'ils le font là, à côté, à Latour ? » Emily tendit le bras vers le sud, vers le soleil. « Est-ce que les propriétaires le font ? Est-ce qu'ils se font livrer comme ça des tonneaux en plein jour ? »

L'*homme d'affaires** haussa les épaules. « Peut-être pas.

— Alors nous ne le ferons pas non plus ici. Je l'interdis. Nous l'interdisons. »

Sur la terrasse ce soir-là — et tandis que sa robe était encore en train de tremper —, Emily resta inflexible. Florence essaya bien de plaisanter pour l'égayer un peu, en se disant surprise qu'une passionnée de transcendance comme elle ne désirât pas que son vin jouisse de la même qualité, mais Emily n'était pas d'humeur à se laisser amadouer ou flatter.

« Florence, ne me dis pas que tu approuves ce procédé. Si l'étiquette de notre vin affirme qu'il s'agit d'un certain cru, alors que c'est en réalité un mélange de deux crus, tu ne peux pas dire que tu approuves cela ?

— Non.

— Et tu dois donc approuver encore moins quand il s'avère que nos bouteilles contiennent du vin cultivé à des centaines de kilomètres d'ici, Dieu sait où au juste et par Dieu sait qui ?

— Oui, mais...

— *Mais ?*

Même moi, ma chère Emily, j'ai compris qu'il était permis d'ajouter du sucre à notre vin, et quel est le nom de cet acide... ?

— L'acide citrique, oui, et l'acide tartrique, et les tanins. Je ne suis pas sentimentale au point de refuser d'admettre qu'il s'agit d'un processus de fabrication dans une certaine mesure. C'est un processus industriel aussi bien qu'agricole de nos jours. Ce que je ne supporte pas, Florence, c'est l'imposture. L'imposture vis-à-vis de ceux qui achètent notre vin, qui le boivent.

— Mais les gens achètent un vin parce qu'ils savent quel goût il a, ou devrait avoir... » Emily ne répondit pas, et Florence continua : « Un Anglais qui achète du Château Latour s'attend à ce qu'il ait un certain goût, n'est-ce pas ? Par conséquent ceux qui lui procurent ce goût qu'il recherche ne font que lui donner ce qu'il désire.

— Florence, je n'aurais pas cru que tu te ferais l'avocat du diable dans cette affaire. Je parle tout à fait sérieusement. Cela me semble être de la plus haute, de la dernière importance.

— C'est ce que je vois.

— Florence, nous ne parlons jamais de ces choses, et cela me convient parfaitement, mais quand nous sommes venues ici, quand nous avons renoncé aux cultivateurs de navets, nous l'avons fait, ce me semble, parce que nous ne pouvions plus vivre dans le mensonge, enfermées dans toute cette froide formalité, en attendant ces quatre semaines de l'année où nous pourrions nous échapper. Nous ne pouvions pas supporter l'imposture de nos existences. » Emily avait maintenant les joues très rouges et elle se tenait immobile, l'air sévère. Florence l'avait déjà vue comme ça, quand elle faisait preuve d'opiniâtreté en quelque affaire.

« En effet, ma chère.

— Tu dis volontiers que ceci est notre ermitage. Eh bien, c'est vrai, mais seulement si c'est nous qui fixons les règles.

— Oui.

— Alors nous ne devons pas vivre dans le mensonge ou l'imposture, ou croire, comme *Monsieur* Collet me l'a dit ce matin, que "tradition est permission". Nous ne devons pas vivre comme ça. Nous devons croire en la vérité. Nous ne devons pas vivre dans le mensonge.

— Tu as tout à fait raison, ma chère, et je ne t'en aime que plus. »

Pour une fois, M. Lambert et M. Collet ne parvinrent à imposer leurs vues à aucune des *Mesdames*. Ils avaient appris à intervenir auprès de Mme Florence une fois que Mme Emily s'était suffisamment éloignée. Ils s'adressaient à elle avec de l'émotion ou de la fierté dans la voix,

invoquaient des considérations locales ou natio-
nales, et en appelaient à ce qu'ils considéraient
comme une complaisance foncière. Mais cette
fois Mme Florence se révéla aussi obstinée que
Mme Emily. Rien n'y fit, ni les arguments tirés
de la nécessité et de la tradition, ni les allusions
à l'autorité tacite des grands crus. Il n'y aurait ni
*vinage** ni *coupage**. Il n'y aurait pas de livraisons
secrètes de tonneaux anonymes, et ainsi, d'ailleurs,
pas d'occultations subséquentes dans les livres de
comptes de M. Lambert. Florence craignait une
autre menace de démission, quoique beaucoup
moins qu'elle ne craignait d'éventuels reproches
de la part d'Emily. Mais les deux hommes, après
plusieurs jours de bouderie et quelques conversations bougonnes qui semblaient contenir plus
de *patois** que d'ordinaire, furent d'accord pour
dire que ce qui avait été ordonné serait fait.

La décennie continua de s'écouler. Les années
1890 furent plus clémentes dans le Médoc que
les précédentes, et les dernières années du siècle
n'apportèrent pas avec elles le sentiment que
quelque chose s'achevait. Florence se disait que
leur verre ne contenait encore aucune lie. Elles
s'étaient confortablement installées dans l'âge
mûr — elle plus confortablement qu'Emily peut-
être —, et elles ne regrettaient pas l'Angleterre.
Leur rôle dans la gestion du Château Haut Railly
se fit plus léger. On avait fini de replanter le
vignoble avec des cépages non greffés ; les bœufs
dansaient leur menuet, les *vendangeurs** accom-

plissaient chaque année leurs rites païens. Le vieux curé prit sa retraite, mais son successeur respecta les devoirs ancestraux : thé en novembre, bénédiction des vignes en avril. Florence se découvrit un certain goût pour le canevas, Emily pour les conserves au vinaigre ; elles prirent plus rarement le vapeur de Bordeaux. Les *dames anglaises** avaient cessé d'être une nouveauté, ou même une curiosité ; elles faisaient maintenant partie du décor.

Emily songeait parfois au peu d'impact que leur présence avait eu en réalité sur le domaine, au peu de transcendance qu'elle avait suscité. Elles avaient apporté de l'argent, certes, mais cela avait simplement permis au vignoble de reprendre le dessus, de mieux pouvoir se défendre contre les ennemis parasitaires et les maladies cryptogamiques. Et dans ces moments-là, lorsqu'elle avait le sentiment que la volonté personnelle était moins importante que ne le prétendaient les philosophes, elle se plaisait à penser que la vie humaine suivait elle aussi son propre cycle viticole. La jeunesse était pleine de gelées et d'élagage, de dur labeur derrière la charrue : il était difficile alors d'imaginer que le temps changerait un jour. Mais cela finissait par arriver, et juin apportait la floraison. Les fleurs annonçaient les fruits, et avec août venait la *véraison**, ce miraculeux changement de couleur, signe et promesse de maturité. Florence et elle avaient maintenant atteint l'août de leur vie. Elle frémis-

sait en songeant à quel point leur maturité avait
pu dépendre des hasards du temps ! Elle en avait
connu beaucoup qui ne s'étaient jamais remis de
la férocité des premières gelées ; d'autres succom-
baient au mildiou, à la pourriture, à la maladie ;
d'autres encore à la grêle, à la pluie, à la sécheresse. Elles — Florence et elle — avaient eu de
la chance avec le temps. C'était tout ce qu'il y
avait à dire. Et là, pensait-elle, finissait l'analogie.
Sans doute étaient-elles maintenant dans leur
maturité, mais aucun vin ne serait tiré de leur
vie. Emily croyait à la transcendance, mais pas à
l'âme. Ceci était leur parcelle de terre, leur parcelle de vie. Et puis, à un moment donné, venaient
les bœufs, dansant une danse peu familière, tandis
que la lame derrière eux creusait plus profondément son sillon dans le sol.

En cette dernière soirée du siècle, alors que
minuit approchait, Florence et Emily étaient assi-
ses, seules, sur la terrasse de leur maison. Même
la silhouette familière des deux chevaux de trait
vieillissants, dans les prairies basses, était absente.
Ils étaient devenus empâtés et nerveux dernièrement, et on avait dû les enfermer dans l'écurie
cette nuit, de crainte que les feux d'artifice ne les
effarouchent. Les *dames anglaises** avaient naturellement été invitées à assister aux festivités à
Pauillac, mais elles avaient décliné l'invitation. Il
y a des moments où le monde bouge et où l'on
a besoin d'un réconfort collectif, mais il y a aussi
de grands moments que l'on savoure mieux en

privé. Ils n'étaient pas pour elles, ce soir, les discours officiels, le bal municipal, la première bacchanale et les premières langues empourprées du nouveau siècle.

Enveloppées dans des châles, elles regardaient du côté de la Gironde en contrebas, qui était parfois illuminée par une fusée prématurément tirée. Une lueur tremblotante mais plus sûre émanait de la lampe-tempête posée sur la table entre elles. Emily remarqua que les balustres qu'elles avaient fait remplacer dix ans plus tôt se confondaient maintenant avec les anciens : elle ne pouvait les distinguer les uns des autres, ni se rappeler lesquels avaient été changés.

Florence emplit de nouveau leurs verres avec le vin de 1898. Ç'avait été une petite récolte, pour cause de manque de pluie après un été sec. On savait déjà que le 1899 qui fermentait dans le *chai** serait magnifique : le siècle finissait en beauté. Mais le 1898 avait ses qualités : une jolie robe, ce qu'il fallait de fruit, et long en bouche. Quant à savoir si ces qualités étaient entièrement les siennes, c'était une autre affaire. Florence, si foncièrement complaisante qu'elle fût, ne pouvait s'empêcher d'être intriguée par le fait que leur vin semblait acquérir une certaine robustesse supplémentaire entre son départ en fûts pour Bordeaux et son retour en bouteilles. Une fois, avec une joyeuse intrépidité, elle avait fait part de cette idée à Emily, qui avait sèchement répliqué que tous les bons vins prenaient du corps

dans la bouteille. Florence avait acquiescé sage-
ment et s'était juré de ne plus jamais aborder ce
sujet.

« Tu peux être fière de ce vin, dit-elle.

— Nous pouvons en être fières toutes les deux.

— Alors je lève mon verre au Château Haut
Railly.

— Au Château Haut Railly. »

Elles burent, puis se dirigèrent vers le devant
de la terrasse en rajustant leurs châles sur leurs
épaules. Elles posèrent leur verre sur la balustrade. La vieille horloge anglaise sonna les douze
coups de minuit, et les premiers feux d'artifice du
nouveau siècle s'élevèrent dans le ciel. Florence
et Emily s'amusèrent à essayer de deviner d'où
on les tirait. Château Latour, évidemment, cette
explosion vermeille tout près de là. Château Haut
Brion, ce bouquet mordoré crépitant légèrement
au loin. Château Lafite, cet élégant motif au nord.
Entre les jaillissements de lumière et les inoffen-
sives pétarades, elles proposèrent une série de
toasts. Elles se tournèrent vers l'Angleterre et
burent ; vers Paris ; vers Bordeaux. Puis elles se
tournèrent l'une vers l'autre sur la terrasse silencieuse, tandis que la lueur vacillante de la lampe-
tempête jouait sur leur jupe, et portèrent un toast
au siècle naissant. Une dernière fusée égarée
retomba vers le fleuve et explosa au-dessus de
leur petit *port*. Bras dessus, bras dessous, elles
retournèrent vers la maison, laissant leur verre
non vidé sur la balustrade, et sur la table la lampe

qui brûlerait jusqu'à l'heure la plus solitaire de la nuit. Florence fredonna une valse, et elles parcoururent en dansant folâtrement les quelques mètres qui les séparaient de la porte-fenêtre.

Dans le hall d'entrée, sous le bec de gaz qui éclairait le pied de l'escalier, Florence dit : « Montre-moi ta langue. » Emily en fit pudiquement voir un centimètre et demi. « C'est bien ce que je pensais, dit Florence. Tu as encore volé du raisin. Tous les ans la même désobéissance, *ma petite sulfureuse**. » Émily baissa la tête d'un air faussement contrit. Florence fit claquer sa langue et tourna la manette du bec de gaz.

Tunnel

L'Anglais d'un certain âge allait à Paris pour
affaires. Il s'installa méthodiquement sur son siège,
ajusta le repose-tête et l'appuie-jambes ; il sentait
encore dans son dos une douleur due à un léger
bêchage de printemps. Il déplia la tablette, vérifia
la ventilation et l'éclairage individuels. Il ne prêta
aucune attention au magazine gratuit, aux écou-
teurs ou à l'écran vidéo personnel sur lequel
s'affichait le menu du déjeuner et la liste des vins.
Ce n'était pas qu'il eût un préjugé défavorable
contre la nourriture ou la boisson : à son âge
— pas loin de soixante-dix ans —, il attendait
toujours avec la même impatience, non sans en
éprouver parfois un certain sentiment de culpabilité, son prochain repas. Mais il se permettait
maintenant de devenir — à ses propres yeux,
plutôt qu'à ceux des autres — un peu vieux jeu.
Peut-être cela apparaissait-il comme une affecta-
tion d'emporter des sandwichs maison et une
demi-bouteille de meursault dans un manchon
thermique alors que le déjeuner était servi gra-

tuitement aux clients de la classe affaires. Mais c'était ce qu'il voulait, alors c'était ce qu'il faisait.

Tandis que le train quittait lentement et majestueusement la gare de King's Cross, il songea, comme il le faisait chaque fois, à cette surprenante banalité qu'en l'espace d'une vie — la sienne — Paris était devenu plus accessible que Glasgow, Bruxelles qu'Édimbourg. Il pouvait, moins de trois heures après avoir quitté sa maison dans le nord de Londres, suivre la légère déclivité du boulevard de Magenta, sans même un passeport en poche. Tout ce qu'il lui fallait, c'était sa carte d'identité européenne, et cela uniquement pour le cas où il dévaliserait une banque ou tomberait sous une rame de métro. Il sortit son portefeuille et examina le rectangle plastifié. Nom, adresse, date de naissance, numéros de Sécurité sociale, de téléphone, de fax et de courrier électronique, groupe sanguin, antécédents médicaux, solvabilité bancaire et nom du plus proche parent. Tous ces renseignements, sauf les deux premiers, étaient invisibles, encodés dans un petit losange iridescent. Il lut son nom — deux mots et une initiale, si familiers après tant d'années qu'ils n'évoquaient rien de particulier — et regarda sa photo. Visage maigre et long, tendons saillants sous le menton, teint couperosé et quelques veines éclatées, ceci pour n'avoir pas tenu compte des conseils de la profession médicale relatifs à la consommation d'alcool, et les yeux de tueur en série que les photomatons vous infligent habituellement. Il ne se jugeait pas vain, mais sa tendance à ne pas trouver très satisfaisantes la plupart des photos de lui le forçait à admettre qu'il devait l'être quand même un peu.

Son premier voyage en France, à l'occasion de vacances familiales et motorisées en Normandie, il l'avait fait cinquante-six ans plus rôt. Pas de ferries spécialement aménagés alors, pas d'*Eurostar* ni de navette baptisée *Le Shuttle*. Ils amarraient votre voiture sur une palette en bois, sur le quai de Newhaven, et la balançaient dans les profondeurs du navire comme une quelconque marchandise. Ce souvenir familier déclencha en lui la litanie des départs. Il avait pris le bateau à Douvres, Folkestone, Newhaven, Southampton, Portsmouth. Il avait débarqué à Calais, Boulogne, Dieppe, Le Havre, Cherbourg, Saint-Malo. Il s'était envolé de Heathrow, Gatwick, Stansted, London City Airport, et avait atterri au Bourget, à Orly, à Roissy. Dans les années 60 il avait pris de nuit un train-couchettes de la gare Victoria à la gare du Nord. Vers la même époque il y avait eu le *Silver Arrow* : quatre heures et quart de centre-ville à centre-ville, annonçait fièrement la compagnie, Waterloo-Lydd, Lydd-Le Touquet, et le train pour Paris attendant près de la piste d'atterrissage. Quoi d'autre ? Il était allé de Southampton (Eastleigh, pour être précis) à Cherbourg au moyen de ce qu'on appelait un « pont aérien », sa Morris Minor courtaude rangée dans la soute d'un lourd avion cargo. Il avait atterri à

Montpellier, Lyon, Marseille, Toulouse, Bordeaux,
Nice, Perpignan, Nantes, Lille, Grenoble, Nancy,
Strasbourg, Besançon. Il avait pris pour revenir l'autorail de Narbonne, Avignon, Brive-
la-Gaillarde, Fréjus et Perpignan. Il avait survolé
ce pays, il l'avait parcouru en train et en car, en
voiture, en auto-stop ; il avait attrapé des am-
poules grosses comme des fèves en traversant les
Cévennes à pied. Il possédait plusieurs généra-
tions de cartes Michelin jaunes, dont le moindre
déploiement suscitait en lui les plus vives rêveries.
Il se souvenait encore du choc qu'il avait éprouvé,
une quarantaine d'années plus tôt, quand les
Français avaient découvert le rond-point — rencontre entre la bureaucratie et l'esprit libertaire,
cette vieille collision française. Plus tard ils avaient
découvert ce que nous appelons casse-vitesse ou
policier dormant : le *ralentisseur** ou *gendarme
couché**. Curieux, n'est-ce pas, que nos policiers
fussent endormis et les leurs seulement couchés.
Qu'est-ce que cela vous apprenait sur eux ou sur
vous ?

L'Eurostar passa brusquement de l'obscurité
du dernier tunnel londonien à la lumière prodi-
guée par le soleil d'avril. Les murs de remblai de
brique bistre couverts de graffiti tapageurs firent
place à une paisible banlieue. C'était une de ces
matinées trop claires pour n'être pas trompeu-
ses : des ménagères qui mettaient leur linge à
sécher avaient fait l'erreur de rester en manches
courtes, et des jeunes gens attraperaient des maux

d'oreilles pour avoir baissé prématurément le toit de leur décapotable. Des maisons mitoyennes parfaitement identiques défilèrent très vite sous ses yeux ; des fleurs de prunus pendaient aux branches, aussi lourdes que des fruits. Puis il aperçut confusément des lopins cultivés, et un terrain de sport avec une rangée d'écrans de cricket laissés là pour l'hiver. Il tourna les yeux et s'intéressa vaguement aux mots croisés du *Times*. Quelques années plus tôt, il s'était annoncé à lui-même son plan pour éviter de sombrer dans la sénilité : « Fais les mots croisés tous les jours et traite-toi de vieux gâteux chaque fois que tu te surprends à te comporter comme un vieux gâteux. » Mais n'y avait-il pas quelque chose de sénile, ou de présénile, dans ces précautions mêmes ?

Il détourna son attention de sa propre personne et la reporta sur ses voisins immédiats pour se livrer au petit jeu des conjectures. Sur sa droite il y avait trois bonshommes en costume et un autre en blazer à rayures ; en face de lui était assise une femme d'un certain âge. D'un certain âge : c'est-à-dire, à peu près du même âge que lui. Il se répéta ces mots, les articula pour lui-même. Il n'avait jamais beaucoup aimé cette expression — il y avait quelque chose de douce-reux et d'obséquieux dans l'usage qu'on en fai-sait —, et maintenant que c'était à lui qu'elle s'appliquait, il l'aimait encore moins. Jeune, entre deux âges, d'un certain âge, vieux, mort : c'était

ainsi que la vie se conjuguait. (Non, la vie était
un nom, alors c'était ainsi que la vie se déclinait.
Oui, c'était mieux de toute façon — la vie et son
déclin. Un troisième sens aussi : la vie refusée,
la vie incomplètement appréhendée. Flaubert a
reconnu un jour qu'au fond il avait toujours eu
peur de la vie. Était-ce vrai de tous les écrivains ?
Et était-ce, en tout cas, une vérité nécessaire :
pour être un écrivain, il vous fallait, d'une certaine manière, décliner la vie ? Ou : vous étiez
un écrivain dans la mesure où vous décliniez la
vie ?) Où en était-il ? *D'un certain âge.* Oui, la
fausse distinction de cette expression devait passer à la trappe. Jeune, entre deux âges, vieux,
mort, *voilà* comment se déclinait la vie. Il mépri-
sait cette façon qu'avaient les gens de se montrer
timorés vis-à-vis de leur propre âge, tout en
faisant preuve d'un joyeux sans-gêne avec celui
des autres. On entendait des hommes septuagé-
naires parler de quelque « vieux bougre de qua-
tre-vingts ans », des femmes sexagénaires faire
allusion à une « pauvre chère vieille » de soixan
te-dix ans. Mieux valait tomber dans l'excès
inverse. Vous étiez jeune jusqu'à trente-cinq ans,
d'âge mûr jusqu'à soixante, et vieux après. Donc
la femme assise en face de lui n'était pas « d'un
certain âge », mais vieille, et il était vieux aussi :
il l'était depuis exactement neuf ans. Grâce aux
toubibs, on pouvait maintenant espérer rester
vieux longtemps — c'est-à-dire, comme il se surprenait désormais trop souvent à l'être : anecdo-

tique, tourné vers le passé, radoteur ; encore
confiant vis-à-vis des connexions locales entre les
choses, mais anxieux pour ce qui était de la
structure générale. Il aimait citer cette conclusion
à laquelle sa femme était arrivée bien des années
plus tôt, alors qu'ils étaient encore tous les deux
dans la force de l'âge : « En vieillissant, nous
nous figeons dans nos caractéristiques les moins
acceptables. » C'était vrai — mais même en le
sachant, comment échapper à cette fatalité ? Nos
caractéristiques les moins acceptables sont celles
qui sont les plus visibles aux yeux des autres,
pas aux nôtres. Et quelles étaient les siennes ?
L'une d'elles était cette complaisance à se poser
des questions auxquelles il est impossible de
répondre.

Il laissa les hommes pour plus tard. La
femme : des cheveux argentés qui ne prétendaient
à aucune authenticité (la couleur, c'est-à-dire
— les cheveux, pour autant qu'il pût en juger,
étaient vrais), chemisier de soie rose, veste bleu
marine avec un mouchoir jaune primevère en
guise de pochette, jupe écossaise qui... non, il ne
pouvait plus interpréter la longueur des jupes en
termes de mode, alors il n'essaya pas. Elle était
assez grande, environ un mètre soixante-quinze,
et belle. (Il refusait cette autre expression dou-
teuse, « elle a beaucoup d'allure », qui tend à
signifier, quand on l'applique à une femme au-
delà d'un certain âge, « elle a été belle autrefois ».
Une grossière aberration, puisque la beauté est

une chose qu'une femme acquiert avec le temps, généralement entre trente et quarante ans, et perd rarement ensuite. L'innocence impudente et impudique est quelque chose de différent. La beauté est fonction d'une certaine connaissance de soi, et d'une certaine connaissance du monde ; par conséquent, en toute logique, une femme ne peut pas être plus que fragmentairement belle avant d'avoir atteint la trentaine.) Pourquoi pas une ex-fille du Crazy Horse ? C'était plausible. Elle avait la taille, l'ossature, l'apparence requises. Une ancienne danseuse retournant à Paris pour une réunion : c'est ce qu'elles font, n'est-ce pas ? La classe de 1965 de *Madame* Olive ou quelque chose comme ça. Curieux d'ailleurs que cela continuât toujours, que malgré les spectacles plus corsés qu'on pouvait voir il y eût encore un public pour ces danseuses anglaises dures à la peine, assorties comme des maisons mitoyennes de banlieue, spécialisées dans ce qui était considéré comme l'érotisme de goût, et qui n'étaient autorisées à rencontrer aucun homme à moins de deux cents mètres du night-club. Il imagina rapidement la vie qu'elle avait dû mener : école de danse à Camberley, tournées sur des bateaux de croisière, une séance d'essai au Crazy Horse ; puis le nom de scène exotique et clinquant, la vie professionnelle dans une atmosphère familiale, le livret de caisse d'épargne ; enfin, au bout de quatre ou cinq ans, le retour en Angleterre avec de quoi verser un premier acompte sur l'achat d'une boutique de mode, admirateurs, mariage, enfants. Il vérifia la présence de l'alliance, qui était placée en sandwich entre deux objets d'aspect plus minéralogique. Oui, ça se tenait, ce retour en France pour le cinquantième anniversaire... *Madame* Olive aurait disparu depuis longtemps, bien sûr, mais Betty de Falmouth serait là, et aussi...

Le blazer du type assis en diagonale par rapport à lui avait quelque chose de factice. Évidemment, tous les blazers à rayures ont *au fond** quelque chose de factice, avec cet air qu'ils vous donnent de vouloir imiter Jerome K. Jerome ou Henley Regatta, mais les éléments rouge foncé et vert jaunâtre de celui-ci frisaient la parodie. Un type grassouillet, entre deux âges — cheveux grisonnants, rouflaquettes, teint fortement hâlé —, qui lisait en bâillant une revue de cyclisme. Jack le Noceur allant se donner un peu de bon temps à Paris ? Trop convenu. Un responsable de la télé voulant s'assurer la couverture du Tour de France de cette année ? Non, fais un effort d'imagination. Un antiquaire se rendant à l'hôtel Drouot ? Voilà qui est mieux. Veste de fantaisie choisie pour donner le change, pour mieux attirer l'attention du commissaire-priseur, mais aussi pour que ses rivaux le sous-estiment quand les enchères deviendraient sérieuses...

Au-delà des hommes en costume il vit un champ de houblon encore vide et la cheminée inclinée d'un séchoir à houblon. Il accommoda

sur les trois bonshommes et essaya de deviner
sérieusement leur profession. Celui qui avait des
lunettes et un journal semblait examiner assez
attentivement la fenêtre du wagon : bon, faisons
de lui un ingénieur des travaux publics. Le
deuxième, sans lunettes mais avec un journal et
une cravate rayée : troisième échelon de la Commission européenne ? Quant au dernier... ah bah,
cela ne marchait pas avec tout le monde, il s'en
était déjà aperçu.

Autrefois — ou même un peu plus récemment —, ils auraient sans doute été en train de
causer entre eux à ce stade du voyage. Ce qu'on
peut espérer de mieux de nos jours, pensa-t-il,
c'est une sorte de prudente camaraderie. Stop.
Vieux gâteux. Ces mots *de nos jours* vous trahis-
sent immanquablement, qui précèdent ou suivent
toujours une assertion méritant d'être contredite
par le *moi* critique, plus jeune et absent. Quant
à l'idée elle-même : tu as déjà entendu ça, ne
l'oublie pas. Quand tu étais gamin, les adultes te
rebattaient les oreilles avec leur sempiternel
« Tout le monde *se parlait* pendant la guerre ».
Et comment réagissais-tu, enlisé dans l'ennui
lancinant de l'adolescence ? En marmonnant à
part toi que la guerre semblait être un prix un
peu fort à payer pour ce résultat social apparemment désirable.

Oui, mais pourtant... Il se souvenait... non, ce
verbe, il le constatait de plus en plus, était souvent inexact. Il croyait se rappeler, ou imaginait

rétrospectivement, ou reconstruisait à partir de films et de livres, et avec l'aide d'une nostalgie aussi coulante qu'un vieux camembert, une époque où les voyageurs traversant l'Europe en train liaient connaissance pour la durée du trajet. Il y avait des incidents, des intrigues secondaires, des personnages exotiques : l'homme d'affaires libanais qui mangeait des raisins de Corinthe conservés dans une petite boîte en argent, la vamp mystérieuse au secret soudain dévoilé — ce genre de chose. La réserve britannique pouvait être surmontée avec l'aide de méfiantes inspections de passeports aux frontières et de la clochette du steward en veste blanche ; ou bien vous pouviez ouvrir du pouce votre étui à cigarettes en écaille de tortue et briser la glace de cette façon. De nos jours... oui, de nos jours, pensa-t-il, les voyages sont trop rapides à travers cette nouvelle *Zollverein* européenne, on vous apporte votre nourriture à votre place, et personne ne fume. « La Mort du train à compartiments et ses effets sur l'interaction sociale du voyage. »

C'était un autre signe de gâtisme : inventer des titres de thèse vaguement humoristiques. Néanmoins... Au début des années 90, il avait pris à Zurich un train austère et peu accueillant à destination de Munich. La raison de sa vétusté n'avait pas tardé à apparaître : sa destination finale était Prague, et c'était un vieux train communiste auquel on avait gracieusement permis de souiller les impeccables voies capitalistes. Les places côté

fenêtre étaient occupées par un couple suisse vêtu
de tweed et encombré de couvertures, de sandwichs et de valises *d'un certain âge* (là pas de
problème, une valise pouvait — devait même —
être *d'un certain âge)*, que seul un Anglais d'âge
moyen était assez fort pour hisser dans le filet à
bagages. En face de lui était assise une Suissesse
grande et blonde, veste écarlate et pantalon noir,
un reflet d'or ici ou là. Il s'était remis machinalement à lire son édition européenne du *Guar-
dian.* Le train brinquebalant avait parcouru nonchalamment les premiers kilomètres, et chaque
fois qu'il ralentissait la porte coulissante du com-
partiment s'ouvrait à côté de lui avec un *bang !*
Puis le train reprenait de la vitesse, et la porte
se refermait lourdement avec un autre claque-
ment non amorti. Un, deux, ou peut-être quatre
jurons étaient proférés silencieusement toutes les
quelques minutes à l'adresse d'un concepteur de
wagons tchèque inconnu. Au bout d'un moment
la Suissesse posa son magazine, mit des lunettes
noires et appuya sa tête au dossier. La porte
claqua encore plusieurs fois, jusqu'à ce que l'Anglais la bloque avec son pied. Il dut pour cela
tordre un peu la jambe, et il garda cette posture
inconfortable mais vigilante pendant une demi-
heure environ. Sa veille prit fin quand un contrô-
leur tapa contre la vitre avec sa poinçonneuse
métallique (un son qu'il n'avait pas entendu depuis
bien longtemps). La femme bougea, tendit son

billet, et une fois l'employé parti, le regarda et dit : « *Vous avez bloqué la porte, je crois**.

— *Oui. Avec mon pied** », expliqua-t-il d'une façon quelque peu pédante. Et il ajouta, tout aussi inutilement : « *Vous dormiez**.

— *Grâce à* vous*. »

Ils longeaient un lac. Lequel est-ce ? demanda-t-il. Elle ne savait pas. Le lac de Constance, peut-être. Elle posa la question au couple suisse, en allemand. « Der Bodensee, confirma-t-elle. C'est là que l'unique sous-marin suisse a coulé, parce qu'ils avaient laissé la porte ouverte.

— Quand cela s'est-il passé ?

— C'était une plaisanterie.

— Ah...

— *Je vais manger. Vous m'accompagnerez** ?

— *Bien sûr**. »

Dans le wagon-restaurant ils furent servis par des filles tchèques au visage fatigué et aux cheveux négligés, qui rappelaient certaines serveuses anglaises des années 40 ou 50. Il prit une Pils et une omelette pragoise, elle une sorte de pâtée d'aspect peu agréable surmontée d'une tranche de bœuf, de bacon et d'un œuf cruellement frit. Son omelette lui parut aussi délicieuse que cette situation inattendue. Il commanda du café, elle un verre d'eau chaude dans lequel pendait un sachet de thé. Une autre Pils, un autre thé, un autre café, une cigarette, tandis que la douce campagne de l'Allemagne méridionale défilait dans un fracas d'essieux. Ils n'avaient pas été d'accord au sujet du mal de vivre. Elle avait dit qu'il venait du cerveau, non du cœur, et était provoqué par les chimères qui naissent dans la tête ; il avait affirmé, d'une façon plus pessimiste et irrémédiable, qu'il venait uniquement du cœur. Elle l'appelait *Monsieur,* et ils se vouvoyaient ainsi qu'il convenait. Il avait trouvé savoureux ce contraste entre une extrême correction linguistique et une présomption d'intimité. Il l'avait invitée à la conférence qu'il donnait ce soir-là à Munich. Elle avait répondu qu'elle avait prévu de retourner à Zurich ce même jour. Sur le quai, à Munich, ils s'étaient embrassés sur les deux joues et il lui avait dit : « *À ce soir, peut-être, sinon à un autre train, une autre ville**... » Ç'avait été un flirt parfait — une perfection confirmée par le fait qu'elle n'était pas venue à sa conférence.

La gare du Shuttle à Cheriton passa lentement sous ses yeux ; le chef de train annonça qu'ils allaient bientôt entrer dans le Tunnel. Des clôtures, du béton immaculé, une descente imperceptible, puis une suave obscurité. Il ferma les yeux et entendit, dans le tunnel de la mémoire, un écho de cris cadencés. Cela avait dû se passer quinze ou vingt ans plus tôt. Peut-être était-ce ce type équivoque de l'autre côté du couloir central qui avait déclenché ce souvenir en lui rappelant son sosie. Les gens se répètent, comme les histoires.

Dans l'obscurité privée de son passé, il se

retourna et vit un groupe de supporters de football qui remontaient le couloir, boîtes de bière à la main et poing libre levé. « Dragons ! Dragons ! » Blousons de cuir noirs, anneaux dans le nez. Ils repérèrent un quidam aux cheveux gris et au blazer comique : Lenny Fulton, le présentateur — aussi arrêté dans ses opinions que flagorneur — de l'émission « Sportsworld UK », « l'homme qui aime bien se mettre un peu en avant », qui avait accusé cette saison-là les supporters les moins raffinés d'un club du sud de Londres d'être « pires que des porcs » — « d'ailleurs, avait-il ajouté, les qualifier de porcs reviendrait à calomnier cet admirable animal ». Les accusés avaient reagi en exprimant sarcastiquement leur approbation. Tu nous traites de porcs ? Très bien, alors on sera des porcs. Ils étaient venus par centaines au match suivant avec des anneaux de cuivre attachés à leur nez ; les plus ardents avaient percé leur cloison nasale, transformant ainsi une déclaration de circonstance en une affirmation permanente. Sur les gradins ils avaient bruyamment soutenu leur équipe en poussant des grognements porcins. Maintenant ils avaient trouvé leur accusateur.

« Regardez qui est là ! Cet enfoiré de Lenny ! » Il y eut des mouvements confus, un bref rugissement, des éclaboussures de bière et un glapissement affolé — « Eh, les gars ! » — avant que Lenny Fulton ne fût arraché de son siège et emmené de force le long du couloir.

Pendant une dizaine de minutes les autres passagers regardèrent prudemment autour d'eux, s'encourageant mutuellement à ne rien faire. Puis Fulton réapparut avec ses gardiens, qui d'une poussée le remirent approximativement sur son siège. Ses vêtements étaient en désordre, sa figure rouge, ses cheveux humides de bière, et il portait maintenant, accroché à son nez, un gros anneau de cuivre.

« Putain d'chance, hein, Lenny ? *Les portières.* » Un des supporters les plus volumineux le gifla. « Tu le gardes, hein, Lenny ?

— D'accord, les gars.

— Jusqu'à Paris, compris ? *Et* à la télé. On t'regardera. »

Ils se tournèrent pour s'en aller, anneaux luisants au nez. Sur le dos de leurs blousons de cuir étaient cousues des ailes de dragons écarlates. Lenny Fulton regarda ses voisins immédiats et eut un rire embarrassé. « Des braves gars, au fond. Juste un peu excités. C'est un match important. Non, des braves gars. » Il s'interrompit, toucha son anneau, rit encore, et ajouta : « Putains d'*animaux.* » Il ramena ses cheveux poisseux en arrière en y passant les doigts de ses deux mains, de sorte qu'ils se redressèrent d'une façon que connaissaient bien les téléspectateurs de « Sportsworld UK ». « Si les portières n'avaient pas été verrouillées, ils m'auraient balancé dehors, les porcs. » Puis, d'une manière ostensiblement et mélodramatiquement réfléchie, il ajouta la nécessaire restriction : « *Porcs* est trop bien pour eux. Les qualifier de porcs reviendrait à calomnier cet admirable animal. »

Ils s'étaient efforcés de retrouver le calme et la normalité en causant de sport : le match contre le Paris-Saint-Germain, la saison d'hiver de cricket, le Tournoi des cinq nations. Il s'était joint gauchement à ces efforts en posant une de ses questions favorites : « En quelle année y a-t-il eu pour la dernière fois du cricket aux Jeux olympiques, et qui a remporté les médailles ? » Lenny Fulton le regarda avec la sorte de méfiance professionnelle qu'il réservait manifestement à ce genre de raseur. « C'est une colle ou quoi ? » Personne ne hasarda de réponse. « 1900, Los Angeles, Angleterre médaille d'or, France médaille d'argent. Pas de bronze, étant donné que c'étaient les deux seuls pays en compétition. » Cela ne suscita qu'un intérêt modéré. Mais bon, ça datait de plus d'un siècle. Il ne se donna pas la peine de poser sa seconde question : quelle était la prime d'étape l'année où le Tour de France est passé par Colombey-les-Deux-Églises ? Vous donnez votre langue au chat ? Les trois volumes des Mémoires du général de Gaulle.

Au moment du déjeuner, le steward avait regardé Lenny Fulton d'un air interrogateur et murmuré : « Vive les Dragons, hein, Mr. Fulton ?

— Qu'ils aillent tous se faire foutre, d'ici à Tombouctou ! Et voulez-vous bien m'en remettre un quadruple. Du pur malt, pas un de vos infects mélanges.

— Oui, Mr. Fulton. »

Maintenant, bien des années plus tard, l'Anglais d'un certain âge retira le papier qui enveloppait ses sandwichs, sortit son tire-bouchon de voyage et déboucha sa demi-bouteille de meursault 2009. Il en offrit un verre à la fille du Crazy Horse assise en face de lui. Elle hésita, prit la bouteille, la tourna pour lire l'étiquette, et accepta. « Mais juste assez pour goûter. »

Personne ne boit plus, se dit-il. Ou du moins, personne ne semblait plus boire comme il le faisait, juste un peu plus qu'il n'était recommandé. C'était la meilleure façon de boire. Maintenant c'étaient soit des quadruples whiskies et un cerveau ramolli, soit de très convenables « juste-pour-goûter » comme celui qu'il était en train de verser. Il l'imagina, au temps des paillettes, recourbant le petit doigt tandis qu'elle levait la *coupe de champagne** commandée par quelque admirateur éloquent rencontré à 201 mètres du club.

Mais il se trompait. Elle n'allait pas à Paris et elle n'avait jamais dansé qu'en amateur. Elle lui dit qu'elle se rendait à Reims pour y participer à une dégustation « verticale » de Krug qui remonterait jusqu'à 1928. C'était une spécialiste réputée, et après avoir tenu son meursault contre la nappe blanche et l'avoir goûté quelques secondes, elle déclara que pour un cru moyen il était raisonnablement fruité, mais qu'on sentait la pluie et que le chênage était plutôt mal dosé. Il lui demanda de deviner son prix, et son estimation fut plus basse que ce qu'il avait payé.

Eh bien, une bonne erreur d'appréciation ; pas exceptionnelle, mais utile. Sa préférée était encore Casablanca, où il avait changé d'avion, quelque vingt ans plus tôt, alors qu'il se rendait à Agadir. Il avait traversé en courant une aérogare étouffante et regardé clignoter les signaux d'embarquement dans une salle pleine de voyageurs britanniques placides et stoïques. Tout à coup une jeune femme était devenue comme folle et, retournant son sac à main, en avait répandu le contenu sur le sol. Ustensiles de maquillage, mouchoirs en papier, clefs, argent étaient tombés à des vitesses différentes, et avec une sorte d'acharnement maniaque elle avait continué à taper sur son sac longtemps après qu'il eut été vide. Puis, très lentement, comme pour mettre l'avion au défi de partir sans elle, elle avait commencé à ramasser ses affaires et à les remettre dans son sac. Son compagnon était resté, très raide, dans la file d'attente, tandis que, furieuse mais sans la moindre honte, elle fourrageait par terre comme un chiffonnier.

Ils avaient dû prendre leur avion quand même, car ils étaient arrivés ce jour-là dans l'hôtel où il était lui-même descendu, un endroit aux allures d'oasis d'où l'on apercevait, par-delà les orangeraies ensoleillées, les cimes neigeuses de l'Atlas.

En se dirigeant vers le bâtiment principal aux murs couverts de bougainvillées, le lendemain matin, il avait remarqué la fille, assise à une table, du matériel d'aquarelliste éparpillé devant elle. Sa curiosité au sujet de ce qu'elle avait sans doute perdu dans l'aéroport de Casablanca avait été vivement réactivée. De l'Ambre solaire à protection spéciale ? La liste de ses relations dans la région ? Plus que cela, certainement : quelque chose qui l'avait rendue livide et qui avait empourpré les joues de son compagnon. Un contraceptif dont l'absence jetterait une ombre sur leurs vacances ? Des capsules d'insuline ? Des torpilles intestinales ? De la teinture au henné ? Il avait été rétrospectivement ennuyé pour elle et sourdement obsédé par cet incident. Il s'était mis à lui inventer une vie, à combler le gouffre psychologique qui semblait exister entre la voyageuse forcenée et la calme aquarelliste. Pendant plusieurs jours, et à mesure qu'il faisait durer son ignorance comme une tentation, ses spéculations étaient devenues de plus en plus baroques. Finalement, sa peur de perdre ce que cette fille savait — et qu'elle n'appréciait certainement pas à sa juste valeur — avait été la plus forte. Il s'était approché d'elle un après-midi, avait fait banalement l'éloge de son travail, puis, avec une désinvolture horriblement tendue, comme si quelque occasion de bonheur était en jeu, il lui avait demandé ce qu'elle avait perdu à Casablanca. « Oh ! avait-elle répondu d'un ton vif et dédai-

gneux, ma carte d'embarquement. » Il avait eu
envie de hennir de plaisir, mais il était simplement resté planté là, comme un fiancé éperdu et
ébahi, incertain quant à ce qui l'enchantait le
plus : l'excès de ses erreurs d'interprétation, ou
le caractère excessivement convenable de la vérité.
Le lendemain son compagnon et elle étaient
partis, comme s'ils avaient rempli leur rôle — ce
que, pour lui du moins, ils avaient fait.

Il regarda le paysage français, en prêtant vaguement attention à ses rares nouveautés. Étroits
fossés de drainage, canaux endormis. Châteaux
d'eau sur les hauteurs, en forme de coquetiers
pour certains, de tees de golf pour d'autres.
Clochers d'église pointus comme des crayons bien
taillés, au lieu des tours carrées anglaises. Un
cimetière de la Première Guerre mondiale sur
lequel flottait très haut un drapeau tricolore. Mais
son esprit ne cessait de le ramener en arrière.
Agadir : oui, cette autre erreur d'appréciation,
un demi-siècle plus tôt, à l'époque où il enseignait
comme assistant à Rennes. Cette année de sa vie
se réduisait maintenant dans sa mémoire à quelques anecdotes qui avaient trouvé depuis longtemps leur forme narrative définitive. Mais il y
avait autre chose, qui n'était pas vraiment une
anecdote et avait donc des chances d'être un
souvenir plus authentique. Ses élèves s'étaient
montrés amicaux envers lui — ou du moins
l'avaient traité avec une curiosité amusée —, à
l'exception d'un garçon dont il ne pouvait se

rappeler le nom, le visage ou la moindre expression ; tout ce qui restait c'était la place qu'il
occupait — rangée du fond, légèrement à droite
du centre — dans la petite salle de classe rectan-
gulaire. Un jour, et comment cela était arrivé il
ne s'en souvenait plus, cet élève avait déclaré de
but en blanc qu'il haïssait les Anglais. « Pourquoi
donc ? » Parce qu'ils avaient tué son oncle.
« Quand cela ? » En 1940. « Comment ? » La
Royal Navy, avait-il répondu, avait traîtreuse-
ment attaqué la flotte française à Mers el-Kébir.
Vous avez tué mon oncle : vous. Cette haine et
sa cause historique avaient fortement troublé et
désorienté le jeune *assistant d'anglais** qu'il était
alors.

Mers el-Kébir. Une minute — ça n'a jamais
été du côté d'Agadir. Mers el-Kébir est près
d'Oran : en Algérie, pas au Maroc. Vieil idiot.
Vieux gâteux. Tu vois les connexions locales,
mais pas la structure générale. Sauf que là il
n'avait même pas vu la connexion locale. Figé
dans tes caractéristiques les moins acceptables. Il
radotait, même en se parlant à lui-même. Son
train de pensées avait déraillé, et il ne s'en était
même pas rendu compte.

Quelqu'un lui tendit une serviette chaude qui
devint, après usage, un bout de tissu froid et
humide. Recommence. 1940 : commence là. Très
bien. Il pouvait dire sans crainte de se tromper
que soixante-quinze ans le séparaient de 1940. Sa
génération avait été la dernière à avoir un sou-

venir des grandes guerres européennes, à avoir cette sorte d'histoire mêlée à celle de ses familles. Exactement cent ans plus tôt, son grand-père était parti à la guerre, la Première. Exactement soixante-quinze ans plus tôt, son père était parti à la guerre, la Seconde. Exactement cinquante ans plus tôt, en 1965, il avait commencé à se demander si, pour lui, la troisième fois serait la bonne. Il s'était avéré que oui : tout le long de sa vie, sa formidable chance historique européenne avait tenu.

Oui, cent ans plus tôt son grand-père s'était porté volontaire et avait été envoyé en France avec son régiment. Un an ou deux plus tard il était revenu, souffrant de cette infirmité appelée « pied des tranchées ». Absolument rien de cette époque ne subsistait. Il n'y avait pas de lettres de lui, ni de cartes jaunâtres du service postal des armées, ni de bouts de ruban soyeux détachés de sa tunique ; aucun bouton, aucun morceau de dentelle d'Arras acheté en souvenir, ne lui était parvenu. Grand-maman avait pris l'habitude de jeter tout ce qui lui tombait sous la main dans les dernières années de sa vie. Et cette absence totale de souvenirs se compliquait d'une autre couche de brume, de dissimulation. Il savait, ou croyait savoir, ou du moins avait cru pendant la moitié de son existence, que son grand-père avait parlé volontiers de son engagement, de son entraî-nement militaire, de son départ pour la France et de son arrivée là-bas — mais qu'au-delà de ce point il ne voulait, ou ne pouvait pas aller : ses récits s'arrêtaient toujours à la ligne de front, vous laissant imaginer des charges frénétiques, à travers des étendues de boue gluante, vers un accueil impitoyable. Une telle taciturnité avait paru plus que compréhensible : convenable, peut-être même prestigieuse. Comment aurait-on pu exprimer l'horreur d'un tel carnage avec de simples mots ? Le silence de son grand-père — qu'il eût été imposé par le traumatisme de la guerre ou un caractère héroïque — avait été approprié.

Mais un jour, après la mort de ses grands-parents, il avait posé à sa mère des questions au sujet de la terrible guerre de son grand-père, et elle avait sapé ses convictions, son histoire. Non, avait-elle dit, elle ne savait pas où il avait servi en France. Non, elle ne pensait pas qu'il s'était jamais trouvé près du front. Non, il n'avait jamais utilisé l'expression « monter à l'assaut ». Non, il n'avait pas été traumatisé par ses expériences. Alors pourquoi ne parlait-il jamais de la guerre ? La réponse de sa mère était venue après un long temps de réflexion. « J'imagine qu'il n'en parlait pas parce qu'il ne jugeait pas cela très intéressant. »

Et voilà. On n'y pouvait plus rien maintenant. Son grand-père avait rejoint les Disparus de la Somme. Il était revenu, certes ; seulement il avait tout perdu plus tard. Son nom aurait aussi bien pu être gravé sur le grand mémorial de Thiepval. Sans doute y avait-il quelque part un *livre d'or** de régiment où il était inscrit, une documentation sur ces médailles absentes. Mais cela ne servirait à rien. Aucun acte de volonté ne pouvait recréer cette silhouette de 1915, avec ses bandes molletières et peut-être sa moustache. Il était maintenant perdu à toute mémoire, et aucune madeleine trempée dans du thé ne ressusciterait ces lointaines vérités. Elles ne pouvaient être recherchées qu'au moyen d'une technique différente, celle que pratiquait encore le petit-fils de cet homme. Il était, après tout, censé puiser son inspiration dans le connu et l'ignoré, l'erreur féconde, la découverte partielle et le fragment évocateur. C'était le *point de départ** de son métier.

Tommies, c'était ainsi qu'on les avait appelés cent ans plus tôt, à l'époque où le bois des forêts françaises était transformé en étais de tranchées. Plus tard, quand il avait enseigné à Rennes, lui et ses compatriotes avaient été surnommés les *Rosbifs** : un sobriquet affectueux pour désigner ces robustes et sérieux — quoique peu imaginatifs — insulaires nordiques. Mais plus tard encore on leur avait trouvé un nouveau nom : les *Fuckoffs* [1]. La Grande-Bretagne était devenue l'enfant terrible de l'Europe — un pays qui envoyait ses politiciens sans conviction mentir au sujet de leurs obligations, et ses guérilleros civils plastronner dans les rues des villes étrangères, des sauvages

1. *Fuck off* : « Foutez le camp ! » *(N.d.T.)*

ignorant la langue et méprisant la bière locale.
Fuck off ! Fuck off ! Fuck off ! Les Tommies et
les Rosbifs étaient devenus les Fuck-offs.

Pourquoi en aurait-il été surpris ? Il n'avait
jamais beaucoup cru à l'amélioration, et encore
moins la perfectibilité, de l'espèce humaine ; ses
petits progrès semblaient venir autant de muta-
tions aléatoires que d'un accomplissement social
ou moral. Dans le tunnel de la mémoire, l'anneau
de nez de Lenny Fulton fut tiré d'un petit coup
sec en passant, tandis qu'une voix lui murmurait : « Vive les Dragons, hein, connard ? » Oh !
oublie ça. Ou plutôt, élargis ta perspective : ça
n'a pas toujours été « ces braves vieux Tommies
et Rosbifs », n'est-ce pas ? Pendant des siècles,
et déjà au temps de Jeanne d'Arc (ainsi qu'il est
dit dans l'*Oxford English Dictionary*), ils avaient
été des Goddems et des Goddams et des Goddons[1], les pillards blasphémateurs des heureuses
terres du Sud. Il n'y avait pas si loin après tout
de *Goddem* à *Fuck-off.* Et de toute façon — des
vieillards se plaignant d'une jeunesse chahu-
teuse : quelle rengaine usée jusqu'à la corde...
Assez de jérémiades.

Sauf que « jérémiades » n'était pas tout à fait
juste. Voulait-il dire gêne, honte ? Un peu, mais
un peu seulement. Les Fuck-offs avaient constitué
une offense envers la sentimentalité, voilà ce qu'il

---

1. Formes différentes d'un même juron : « Nom de Dieu ! »
(*N.d.T.*)

pensait qu'il voulait dire. Les jugements portés sur les autres pays sont rarement justes ou précis : ils tendent naturellement à tomber soit dans le mépris, soit dans la sentimentalité. Le premier ne l'intéressait plus. Quant à la sentimentalité, c'était parfois ce dont on l'accusait en raison de son attitude envers la France et les Français. Dans ces cas-là il plaidait toujours coupable, en disant pour atténuer sa faute qu'après tout les autres pays étaient là pour ça. Il était malsain de faire preuve d'idéalisme envers son propre pays, puisque la moindre clairvoyance menait vite au désenchantement. Les autres pays existaient donc pour suppléer à l'idéalisme manquant : ils étaient une version de l'utopie bucolique. Cet argument provoquait parfois une accusation supplémentaire de cynisme. Cela lui était égal ; il ne se souciait plus guère maintenant de ce qu'on pensait de lui. Il préférait imaginer quelque réplique française de lui-même, voyageant dans la direction opposée et regardant par la fenêtre un champ de houblon encore vide : un vieil homme en pull Shetland fasciné par la marmelade anglaise, le whisky, les œufs au bacon, les magasins Marks & Spencer, *le fair-play, le flegme* et *le self-control* ; par les thés à la crème du Devonshire, les biscuits sablés, le brouillard, les chapeaux melon, les chœurs de cathédrale, les maisons mitoyennes parfaitement identiques, les bus à impériale, les filles du Crazy Horse, les taxis noirs et les villages des monts Cotswold. Vieux gâteux. Vieux gâteux français.

Oui, mais pourquoi lui reprocher ce nécessaire exotisme ? Peut-être la vraie offense des *Fuck-offs* avait-elle été l'offense envers la sentimentalité imaginée de ce Français.

Il avait à peine vu le temps passer : un peu de campagne derrière la vitre, vingt minutes de tunnel, et encore un peu de campagne. Il aurait pu descendre à Lille pour aller voir le dernier terril français encore existant : c'était là une chose qu'il voulait faire depuis longtemps. Il y avait eu des centaines de ces tertres charbonneux luisant sous la pluie la première fois qu'il était venu dans cette région. Puis, l'industrie périclitant, ces monticules abandonnés étaient devenus pittoresques : des pyramides vertes, trop symétriques pour être naturelles. Plus tard, on avait trouvé une technique pour broyer ou liquéfier ces résidus — il ne se souvenait pas des détails —, et depuis pas mal de temps déjà il ne restait plus qu'un seul tas, qui, débarrassé de sa végétation, exhibait de nouveau son authentique noirceur. Ce vestige était devenu partie intégrante du patrimoine historique du Nord : caressez le cheval de mine, regardez le diorama où un mineur au visage noir se tient derrière la vitre comme un homme du néolithique dans un musée, slalomez sur le terril... Sauf qu'il était formellement interdit aux visiteurs de grimper dessus, ou d'en emporter un morceau. Des gardes en uniforme protégeaient le minerai comme s'il avait une valeur réelle plutôt que supposée.

L'histoire revenait-elle en l'occurrence à son point de départ ? Non, l'histoire ne bouclait jamais tout à fait la boucle : quand elle s'essayait à ce tour, elle ratait son orbite comme un vaisseau spatial dont le pilote aurait trop bu de ce meursault. Ce que l'histoire faisait surtout, c'était éliminer, supprimer. Non, ce n'était pas vraiment cela non plus. Il pensa à son carré de légumes dans le nord de Londres. Chaque année vous travailliez dur pour retourner la terre, et chaque année votre bêche ramenait quelque chose de différent à la surface ; pourtant la dimension du terrain restait la même. Donc vous ne déterriez ce tesson de canette de Guinness, ce filtre de cigarette, cette capsule de bouteille et ce préservatif strié, qu'au prix d'un enfouissage involontaire d'autres objets plus, ou moins, anciens. Et qu'est-ce qu'ils projetaient d'enterrer maintenant ? Eh bien, une proposition avait été soumise au Parlement européen, visant à rationaliser les nécropoles de la Première Guerre mondiale. Le tout terriblement discret et respectueux, bien entendu, et truffé de promesses de prudentes consultations électorales ; mais il avait vécu assez longtemps pour savoir comment les gouvernements fonctionnaient. Alors, à un moment ou à un autre, peut-être après sa mort, mais inéluctablement, ils supprimeraient les cimetières. Cela viendrait. Un siècle de mémoire, cela suffit sûrement, comme avait dit quelqu'un d'un air avantageux au cours d'un débat. On en garderait juste un à titre de vestige historique, suivant ainsi le précédent établi avec le terril, et on supprimerait le reste. Qui en avait besoin de plus que cela ?

Ils avaient dépassé Roissy. Un dépôt plein d'indolents trains de banlieue lui apprit qu'ils n'étaient plus loin de Paris. La vieille « ceinture rouge » des faubourgs nord. D'autres graffiti iridescents sur des parois de béton brut, comme à Londres. Sauf qu'ici un ministre de la Culture avait promu les tagueurs au rang d'artistes, dont le mode d'expression méritait de figurer à côté de ceux du hip-hop et du skateboard. Vieux gâteux. Ce serait bien fait pour toi si c'était celui-là même qui t'a remis le ruban vert que tu portes maintenant à la boutonnière. Il y jeta un coup d'œil : une autre petite vanité, comme quand il n'était pas satisfait de sa photo. Il examina son costume, qui lui allait d'une façon assez approximative : la mode et sa silhouette corporelle ne cessaient de se mouvoir dans des directions opposées. Sa ceinture s'incrustait dans un ventre en expansion, tandis que ses jambes s'étaient ratatinées et que son pantalon flottait sur elles. Les gens ne faisaient plus leurs courses avec des filets à provisions, mais il se rappelait la façon dont ces sacs, adaptant leur forme à leur contenu, se renflaient excentriquement quand ils étaient pleins de légumes. Voilà ce qu'il était devenu : un vieil homme tout bosselé et déformé par les souvenirs. Mais la métaphore avait un défaut : les souvenirs, à la différence des légumes, se caractérisent par une croissance de type cancéreux. Chaque année votre filet à provisions se renfle davantage, devient toujours plus lourd, et vous tire un peu plus de guingois.

Qu'était-il, en fin de compte, sinon un collecteur et un tamiseur de souvenirs : ses propres souvenirs, et ceux de l'histoire ? Et aussi, en les transmettant aux autres, un greffeur de mémoire. Ce n'était pas une façon indigne de passer sa vie. Il radotait en se parlant à lui-même, et sans doute aussi aux autres ; il avançait pesamment, comme un vieil alambic aux roues cerclées de fer qui va en grinçant de village en village distiller ses breuvages locaux. Mais ce qu'il y avait en lui de meilleur et de plus fort était encore capable de pratiquer sa profession.

Le train entra précautionneusement en gare du Nord. Dans le tunnel de la mémoire, Lenny Fulton glissa son anneau de nez sous son siège comme s'il ne l'avait jamais porté et se précipita vers la portière. Les autres — souvenirs et présences, ici et ailleurs — se dirent gauchement adieu d'un signe de tête. Le chef de train les remercia d'avoir choisi Eurostar et ajouta qu'il espérait avoir le plaisir de les accueillir de nouveau prochainement sur la ligne. Des hordes d'ouvriers nettoyeurs se tenaient prêtes à envahir le train pour en retirer les quelques détritus historiques laissés par ce groupe de passagers, le préparant pour un autre groupe de voyageurs qui se salueraient gauchement d'un signe de tête et laisseraient à leur tour quelques détritus en partant. Le train poussa un ample soupir mécanique étouffé. De nouveau, tout près, le bruit et la vie d'une grande cité...

Et l'Anglais d'un certain âge, quand il rentra chez lui, commença à écrire les histoires que vous venez de lire.

DU MÊME AUTEUR

Aux Éditions Denoël

AVANT MOI (Folio n° 2505)

LOVE, ETC, prix Femina étranger (Folio n° 2632)

LE PORC-ÉPIC (Folio n° 2716)

METROLAND (Folio n° 2987)

LETTRES DE LONDRES (Folio n° 3027)

OUTRE-MANCHE

Aux Éditions Stock

UNE HISTOIRE DU MONDE EN 10 CHAPITRES 1/2

LE SOLEIL EN FACE

LE PERROQUET DE FLAUBERT, prix Médicis essai

Au Mercure de France

ENGLAND, ENGLAND

COLLECTION FOLIO

Composition Jouve.
Impression Société Nouvelle Firmin-Didot
à Mesnil-sur-l'Estrée, le 13 décembre 1999.
Dépôt légal : décembre 1999.
Numéro d'imprimeur : 49226.

ISBN 2-07-041007-2/Imprimé en France.